Vendredi 15 Février
2013.

A Clémence,
une femme belle
amoureuse de
la vie -
Pour te faire
rire ... .
ce livre !
Baisers -
Talou

Marie-Bergamote du Préhaut

Comment être

une épouse
modèle?

hachette
LOISIRS

© Hachette Livre (Hachette Pratique) 2012

LES CAKES DE BERTRAND
Didier Bertrand & Adolphe Besnard

Couverture : Claire Guigal
Conception intérieure : Salah Kherbouche
Mise en pages : Claire Rouyer

Comment être une épouse et une mère modèle, bien éduquer ses enfants, recevoir ou être reçue, comment rédiger une lettre de condoléances ou un faire-part de naissance ? Comment préparer Noël et quelle importance accorder à son élégance ? Un guide qui vous rappelle l'essentiel !

« Notre honneur, Père,
est d'honorer ceux qui nous ont prises
comme compagnes. »

Plaute, *Stichus* (IIe siècle av. J.-C.).

Sommaire

Introduction   6

Maîtresse en votre royaume   8

TENIR UNE MAISON   10
GÉRER LE PERSONNEL   13
ÉLÉGANCE ET RAFFINEMENT   17
LES REPAS   21
LES CORDONS DE LA BOURSE   25
GÉRER CRISES ET DOUTES   28
LES VACANCES ET LES SORTIES   31
SAVOIR FERMER LES YEUX   34
FAIRE HONNEUR SANS ÊTRE UN FAIRE-VALOIR   36

Être épouse et mère   38

LE CHOIX D'UN PRÉNOM   40
L'ÉDUCATION   41
LES PUNITIONS   45
L'APPRENTISSAGE DE LA PROPRETÉ   50
L'ENSEIGNEMENT DE L'ORDRE   56
L'ÉCOLE   61
LES AMIS DES ENFANTS   66
LES ACTIVITÉS EXTRASCOLAIRES   69
LES GOÛTERS RÉCRÉATIFS   73

Les colonies de vacances 76

Quand les petits quittent le nid 79

Recevoir, être reçue 82

Les repas informels 84

Les réceptions 86

Les repas d'affaires 93

Les collations 99

Les présentations 106

Les relations de bon voisinage 110

Se faire des amis 113

Recevoir pour un séjour 115

Être reçue 118

Les célébrations familiales 124

Les naissances 126

Les anniversaires 131

Noël 134

Les enterrements, les deuils 141

Imprévus 146

Une dépression 148

Un mariage infécond 151

Un divorce 154

Un veuvage 157

Conclusion 159

Introduction

Il est des écoles pour apprendre la menuiserie, l'économie ou la politique ; aucune n'enseigne comment s'occuper de son foyer. Certes, les jeunes filles peuvent prendre exemple sur leurs aînées, mais il leur manque parfois un peu de pratique et de conseils. Certaines n'osent pas poser de questions ou n'ont pas de modèle maternel vers lequel se tourner. Ce guide est là pour les aider.

Chargé est l'emploi du temps de l'épouse qui saura faciliter le quotidien de son mari et de sa famille par diverses tâches, certes parfois peu gratifiantes, mais réellement utiles pour le bien de tous. Cette femme saura trouver sa place sans s'effacer ; en se révélant au service des autres, elle déploie pleinement toutes ses qualités et se réalise ainsi.

Soumise, l'épouse modèle ? Non pas ; elle est dévouée et son bonheur se lit dans une journée de travail parfaitement accomplie. Le couple est un partenariat : tandis que monsieur s'occupe des biens financiers du ménage, madame gère l'intendance et règne sur l'intérieur de son foyer alors que son époux est à l'extérieur. Simple répartition des rôles. Les hommes semblent diriger le monde, tandis que les femmes les secondent tout en régnant sur leur propre univers, la domesticité. C'est dire l'impact silencieux et anonyme que vous avez.

Être une épouse modèle, voilà votre fierté ; être celle qui porte dignement le nom de son époux, en plus de ses enfants. Être une femme rêvée et entendre les autres murmurer à votre mari : « Comme tu as de la chance de l'avoir épousée ! »

Puisse ce petit guide apporter quelques pistes à celles qui se sentiraient démunies ou qui souhaiteraient s'améliorer dans le rôle qu'elles ont choisi, celui d'épouse heureuse de l'être.

Maîtresse en votre royaume

Chaque matin ou presque, votre mari rejoint son lieu de travail. Vous, vous restez à la maison, c'est là qu'est votre « bureau ». Vous y gagnez en temps (pas de trajet), mais vous craignez d'y perdre en relations sociales. C'est un peu vrai, mais pas tout à fait, nous en reparlerons. En attendant, préparez-vous comme si vous sortiez, marquez le temps de travail par une tenue appropriée, soyez vigilante sur les horaires et organisez-vous de la même manière que si vous sortiez. Le travail à la maison demande de la méthode ainsi que de la discipline, surtout quand tous les jours ont tendance à se ressembler.

Défi pour les unes, routine pour les autres, le quotidien est en réalité l'ami de l'épouse modèle.

Apprivoisez-le, et voilà votre vie ronronnant sagement comme le moteur d'une éolienne. Les tâches se répètent, vous donnant ainsi l'occasion de les maîtriser et de vous révéler dans votre plus merveilleuse sérénité.

La maison est l'endroit où vous passez la majeure partie de votre temps, c'est votre lieu, votre espace, trouvez-y vos repères !

Tenir une maison

Tenir la maison est le rôle qui vous incombe, de la propreté du lieu (irréprochable) à la décoration (sobre et élégante), la cuisine (simple mais raffinée) et autres préparations. Vous allégerez également la charge de votre mari en vous occupant des diverses factures et prendrez vous-même rendez-vous avec le plombier ou tout autre artisan intervenant chez vous. Lorsqu'il rentre de son travail, votre époux n'a pas envie de gérer les menus soucis et il vous saura gré de vous en occuper. Prévenez-le évidemment, il doit toujours être au courant de ce qui se passe sous son toit, sans donner l'impression que c'est un travail difficile pour vous. Restez toujours maîtresse de la situation, soyez à la hauteur. Puisqu'il vous épargne ses tracas dans son emploi, agissez de même avec lui.

Irréprochable en toute occasion

Si vous êtes seule à vous occuper du ménage, vous gagnerez grandement en temps et en énergie par une organisation rigoureuse. Répartissez les tâches selon les jours de la semaine : le lundi peut être consacré au linge (changement des draps, repassage, dépôt au pressing…), le mardi à l'aspirateur et au sol, le mercredi aux enfants, le jeudi au lavage des vitres, le vendredi aux emplettes. C'est un exemple, vous saurez trouver le rythme qui vous convient et vous constaterez vite combien cette planification peut vous simplifier la vie. N'oubliez pas que votre maison reflète votre famille. N'importe qui doit pouvoir venir chez vous à l'improviste sans que vous en ayez honte. Tout doit être rangé, organisé, parfaitement propre et à sa place. Les lits seront toujours faits, sitôt l'aération quotidienne terminée, et rien ne traînera dans la maison sans une nécessité absolue.

DE L'IMPORTANCE DE LA DÉCORATION

Songez également à la décoration. Vous ne résidez pas dans un musée ; pour autant, aménagez les lieux de manière à éprouver du plaisir à y vivre. Quelques fleurs fraîches, des plantes, des tableaux ou de belles reproductions feront très bien l'affaire. La maison doit vous ressembler. Ne la surchargez cependant pas et évitez l'ostentatoire sauf, si vous y tenez, pour une pièce qui vous serait réservée. Restez classique, c'est un style dont on ne se lasse pas. Un appartement du début du XXe siècle garde toujours de sa superbe aujourd'hui, contrairement à un autre décoré dans les années soixante-dix, avec ses papiers peints à vous donner le tournis.

Ne vous improvisez pas architecte d'intérieur si vous n'en avez pas le talent! Faites appel aux services d'un spécialiste ou inspirez-vous de magazines sérieux. Quelques valeurs sûres : le blanc, le taupe, le coton, le lin, la porcelaine, le parquet, le naturel.

Prévoyez des canapés accueillants, une table suffisamment grande pour recevoir, une vaisselle évidemment coordonnée, même pour les repas de tous les jours ; *idem* pour le linge de lit. Il m'est arrivé de dormir dans des draps bariolés, pelucheux, voire douteux : ma nuit fut beaucoup moins agréable que lorsque je suis logée dans des draps simples mais assortis, tous blancs, de la taie d'oreiller à la housse de couette. Il n'est pas de détails futiles, vous le remarquerez vite. Et ne me parlez pas de coût : il est tout à fait possible aujourd'hui de s'équiper joliment et de façon peu onéreuse. Cherchez un peu. Quelle satisfaction saurez-vous alors éprouver !

Gérer le personnel

La maison est votre royaume. Elle est bien entendu évoquée au sens large, celui de la *domus* antique, qui comprend votre famille et éventuellement vos employés de maison. D'ailleurs ces derniers ne font-ils pas aussi un peu partie de votre famille ? Toutes proportions gardées, entendons-nous bien ; ne soyez jamais familière et sachez redresser la barre à la moindre défaillance : soyez cordiale mais jamais intime avec votre femme de ménage et moins encore avec votre jardinier, Mesdames. Ce n'est pas une question de rang mais de simple bon sens : le jour où vous vous en séparerez, vous n'aurez pas envie que l'un d'eux aille colporter vos confidences.

FAIRE LE BON CHOIX

Si vous avez du personnel, votre tâche n'est pas totalement simplifiée pour autant. C'est à vous bien entendu qu'il incombe de choisir avec sérieux ces étrangers qui aborderont votre intimité. Je vous conseille le bouche-à-oreille, on ne fait guère mieux. N'hésitez pas à demander des lettres de recommandation à tout nouveau postulant, ne laissez pas la maison sans surveillance au début et vérifiez que le travail a été effectué correctement. Le gant blanc passé au-dessus des portes ou en quelques endroits stratégiques afin de vérifier l'absence de poussière est toujours d'une redoutable efficacité.

Je connais des personnes qui, les premiers jours, laissent un peu d'argent ou quelques bijoux en évidence, afin de tester l'honnêteté de leurs employés. D'autres dissimulent habilement de minicaméras… Personnellement, je ne suis pas favorable à cette attitude de défiance déplacée que je qualifierais de mesquinerie. Suivez votre intuition et lorsque vous accordez votre confiance, donnez-la pleinement.

CONFIANCE ET RESPECT

Vous veillerez à ne pas surcharger de travail les personnes qui vous aident à la maison et à vous assurer qu'elles ne manquent de rien. Ne les placez pas non plus dans une situation embarrassante en leur confiant des secrets intimes ou en leur demandant d'être juge ou partie entre vous et votre époux. Vouvoyez-les pour maintenir la distance et exigez de vos enfants le plus grand respect à leur égard.

Sachez également les récompenser de toute tâche supplémentaire ou non prévue (un repas qui se termine plus tard que d'ordinaire ou un lendemain de fête, par exemple) et songez à les gratifier à des moments particuliers (pour les étrennes, à Noël…). Offrir un petit bouquet de fleurs le jour de leur anniversaire peut être une attention particulièrement délicate. Et si vous donnez certains de vos vêtements, prenez garde à ce qu'ils soient évidemment dans un parfait état.

N'en faites pas trop, mais faites-en suffisamment.

ÉTRENNES ET GRATIFICATIONS

Soyez généreuse avec votre concierge, surtout si elle récupère régulièrement vos colis, ouvre la porte à vos visiteurs ou arrose vos plantes en votre absence.

Si vous avez un chauffeur à votre service, laissez votre mari s'en occuper s'il est le plus souvent avec lui, mais songez à rappeler à ce dernier le temps des étrennes et discutez avec lui de la somme à donner.

Il est difficile d'évoquer ici un montant. Celui-ci sera en rapport proportionnel avec les émoluments réguliers et les extras que vous demandez. Soyez suffisamment généreuse pour paraître à l'écoute, mais sans excès pour ne pas être déplacée. N'oubliez pas que la somme évoluera avec les années ; vous ne donnerez jamais moins, mais éventuellement davantage, alors restez raisonnable. Ne gaspillez pas l'argent de votre ménage, votre mari pourrait vous en vouloir.

Notez toutefois, si cela est utile, que les étrennes peuvent avoisiner l'équivalent de quinze jours à un mois de salaire.

Savoir s'en séparer

Gardez à l'esprit qu'ils sont vos employés et non l'inverse ; restez donc ferme sur vos attentes et ne laissez pas une situation se détériorer. Si vous n'êtes plus à l'aise ou satisfaite, faites-le savoir et au besoin, mettez un terme au contrat de votre employé, toujours avec respect et courtoisie.

Si vous décidez de vous séparer d'un membre de votre personnel pour des raisons non liées à ses qualités professionnelles, proposez une lettre de recommandation sans qu'il ait besoin de vous la demander. Au besoin, replacez cette personne chez l'une de vos connaissances.

Élégance et raffinement

Votre mari part peut-être en costume chaque matin ; de la même manière, optez pour une tenue de jour appropriée. Votre mot d'ordre : « élégance et raffinement ». Ne traînez jamais telle une souillon dans la maison, même si vous ne sortez pas, même si votre journée est consacrée au ménage. Coiffez-vous, maquillez-vous, soyez belle, afin que chaque fois que vous croiserez votre reflet dans le miroir, vous soyez satisfaite de vous. De même, songez à votre époux qui ne vous a pas vue de la journée. Combien il appréciera de vous retrouver fraîche et gracieuse !

Au besoin, changez-vous dès son départ pour une tenue plus confortable et passez à nouveau dans la salle de bains une vingtaine de minutes avant son retour, le temps de vous rafraîchir, de vous coiffer et de vous habiller élégamment.

DE NUIT COMME DE JOUR

Il en est de même pour la nuit évidemment (et le matin au lever !). Choisissez avec soin vos tenues : des chaussons élégants, voire des mules fines si vous êtes une nomade, des robes de nuit sages en dentelle ou en coton blanc. Variez vos choix, il existe suffisamment de magasins appropriés, mais de grâce, fuyez les affreux pyjamas qu'un rustre montagnard ne porterait pas et qui donneraient l'impression à votre époux de dormir avec un yéti empaillé ! Évitez également les tenues provocantes et inappropriées.

De la grâce, mesdames, de la grâce ! Ô combien gagnerez-vous en confiance en vous !

Vous êtes un peu frileuse ? Faites-vous offrir un châle, un joli plaid, ou une robe de chambre confortable. Nouez vos cheveux avant la nuit, comme lorsque vous étiez enfant, afin de vous réveiller avec des boucles charmantes et réservez vos masques et autres produits de beauté pour l'intimité de votre boudoir ou de votre salle de bains. Il est des moments comme des gestes qui doivent rester dans vos alcôves personnelles. Votre mari n'a pas besoin de connaître le temps que vous consacrez à votre mise en beauté, de même que vous n'éprouverez aucun plaisir à le voir se brosser les dents. En conséquence, vous éviterez d'entrer dans la salle de bains quand il s'y trouve. En cas de nécessité, vous vous annoncerez en frappant à la porte, ce que votre conjoint aura, à son tour, la délicatesse de faire.

VOS RENDEZ-VOUS BEAUTÉ

Usez sans abuser du coiffeur, de l'esthéticienne ou de la manucure. Ces rendez-vous doivent figurer en bonne place dans votre agenda, même si vous vous occupez seule de vous-même. Ces moments-là sont importants. Pour vous avant tout, mais aussi pour faire honneur à votre époux. Ne croyez pas que le mariage impli-que que vous vous reposiez sur les lauriers de votre beauté passée. Entretenez-vous comme au premier jour et faites ainsi plaisir à votre mari. Vous aimerez son regard fier posé sur vous quand on vous félicitera pour votre élégance ou votre visage charmant.

Il va sans dire que vous adopterez à votre égard le même raffinement que vous accordez à votre salon : rien d'ostentatoire, de vulgaire ou de déplacé. Laissez les mèches hypothétiques aux aventurières, ainsi que les coupes si savamment sculptées qu'il vous faudrait épouser un garçon coiffeur afin qu'il s'en occupe. Pour vos ongles, préférez la sobriété ; si c'est une *french* que vous voulez, assurez-vous qu'elle soit discrète et ne ressemble pas à celle des actrices qui ahanent. Et si vous tenez à vous grimer, conservez les paillettes, les couleurs vives dont chaque ongle est gratifié séparément, pour un seul jour dans l'année, celui qui se trouve en février. L'épouse modèle est élégante et raffinée. Apprenez-le, répétez-le, appliquez-le.

De la même manière, prenez soin de votre corps, tâchez le plus possible de le conserver dans des proportions raisonnables et harmonieuses. Que vous trouviez cela injuste ou non, une robe est généralement plus seyante sur un corps en proportions (même superbement rond) qu'en déséquilibre.

Ce comportement est une hygiène de vie, que l'on soit mariée ou non. L'avantage que vous avez par rapport aux célibataires, c'est que votre mari vous sert de motivation et que chaque jour, dans son regard, vous pourrez lire de la fierté.

Les repas

Si vous avez une cuisinière, décidez avec elle des plats que vous désirez à votre table. Les besoins de chacun des membres de la famille seront pris en compte, ainsi que les allergies et les goûts particuliers. D'une manière générale, mangez des mets de saison, c'est non seulement moins onéreux, mais aussi bien meilleur pour la santé.

MAÎTRISER LES FOURNEAUX

Si vous cuisinez seule, l'idée serait que vous deveniez un cordon-bleu. Même bleu pâle, éventuellement. Et vous pouvez y arriver. Commencez par maîtriser un plat à la fois. Si votre mari adore le riz au lait de son enfance, apprenez à le faire avec votre belle-mère jusqu'à ce qu'il en retrouve le goût dans sa cuillère. Un homme qui a bien mangé, surtout après une journée de labeur, est infiniment plus aimable qu'un affamé. L'équilibre, là encore, est important : vous veillerez à ce que votre famille soit nourrie suffisamment, sainement et avec variété.

Vous gagnerez un temps précieux en préparant vos menus à la semaine (en vous réservant une certaine souplesse toutefois). L'avantage est multiple : cela vous permet de n'y réfléchir qu'une seule fois tous les sept jours, sans compter que vous pouvez à l'occasion réutiliser vos menus types. Cette planification est très utile pour les courses : vous saurez ainsi exactement ce que vous devez vous procurer et en quelle quantité (les produits frais étant achetés au dernier moment, comme vous le savez). Le menu affiché bien en vue dans la cuisine permettra à vos enfants et votre mari de savoir ce qui les attend et, nous l'espérons, de s'en réjouir à l'avance.

Si vous souhaitez que votre mari rentre particulièrement tôt ou même à l'heure un soir, il vous suffira de lui rappeler que vous avez prévu un soufflé et que vous comptez sur sa ponctualité ; il comprendra la subtilité de ce message.

Le choix de la vaisselle

La vaisselle, comme les draps, ne doit pas être dépar-eillée ni défraîchie. Remplacez les verres abîmés et les assiettes ébréchées. Le service doit toujours être complet et coordonné. La simplicité suffit ample-ment, sans aller toutefois jusqu'à boire dans des verres à moutarde recyclés.

Vous serez surprise de constater qu'un vin a plus de parfum lorsqu'il est dégusté dans un verre approprié et, si vous n'êtes pas encore une cuisinière chevron-née, vos proches vous sauront gré de flatter leurs pupilles par une jolie table colorée, à défaut de char-mer leurs papilles par un repas savoureux.

Un moment privilégié

Prendre ses repas à la même heure est une bonne école pour les enfants et est sain pour l'organisme de chacun. Le repas du soir est un moment privilégié à l'occasion duquel toute la famille se retrouve et peut discuter. Ne dérogez pas à cette règle si votre mari est en retard ; faites manger les enfants, restez avec eux à table, mais attendez votre époux pour dîner, sauf s'il vous a demandé de ne pas le faire. Si, pour une raison particulière, vous ne tenez pas à patienter, prévenez-le, afin qu'il ne soit ni surpris ni déçu. C'est d'ailleurs une règle élémentaire dans la famille que de vous prévenir de chaque contretemps ou changement.

Sollicitez les enfants pour mettre le couvert, débarrasser, voire servir. Ne leur permettez pas de quitter la table sans l'avoir expressément demandé et en avoir obtenu l'autorisation.

Il va sans dire que tous les bruits de bouche sont interdits, de même que jouer, lire, parler la bouche pleine, et vous saurez le leur apprendre dès leur plus jeune âge. En espérant que votre belle-mère l'ait également enseigné à son fils.

Le repas terminé, débarrassez immédiatement la table afin de retrouver, le lendemain au lever, une cuisine ou une salle à manger à nouveau nette et propice à un repas agréable.

Les cordons de la bourse

Si vous n'avez pas d'activité professionnelle, si vous ne percevez pas de salaire, cela ne signifie pas pour autant que votre travail à la maison est sans valeur. L'argent que rapporte votre mari est aussi le vôtre. Les rôles sont équitablement répartis : votre époux se charge de ramener l'argent, tandis que vous gérez votre famille et son intendance. Un travail d'équipe, en somme.

ÊTRE ÉCONOME, SANS EXCÈS

Il est bon de connaître les revenus de votre foyer et de savoir ce qui est placé, économisé, et ce qui est alloué aux dépenses courantes. C'est important afin de ne pas dépasser ce à quoi vous avez droit. Gérez votre argent avec fermeté. Prenez soin de la monnaie, gardez en tête que de petites économies font de grandes rivières de diamants, ce qui vous permettra d'offrir occasionnellement une surprise à votre famille.

Ne vous ruinez pas non plus en cosmétiques ni en vêtements coûteux alors que quelques basiques suffisent. Votre époux saura toujours vous offrir les parfums ou les bijoux qui mettront en valeur celle qui l'accompagne si tendrement au long de sa vie.

Évoquez tout extra avec votre mari, voyez avec lui si l'achat est raisonnable, approprié et à un prix convenable. En revanche, vous gérerez les dépenses quotidiennes sans l'importuner. Ne soyez pas dans l'attente chaque semaine ; vous devez disposer d'un budget mensuel à gérer vous-même, ce sera plus simple pour chacun. Et vous connaissez la règle : en cas d'imprévus, vous préviendrez votre époux en amont.

Les hommes n'aiment pas les femmes frivoles ou dépensières. Au contraire, votre époux se sentira épaulé et rassuré de voir que vous êtes capable de faire beaucoup avec peu, voire de le conseiller pour certains placements ou investissements, comme cette petite maison à la campagne dont vous rêvez pour pouvoir vous échapper de la ville et faire profiter les enfants du bon air de la nature.

L'homme a aussi besoin de savoir qu'il est le chef de famille, capable de subvenir aux besoins des siens. Donnez-lui l'impression que vous vivez dans le bien-être, sinon l'opulence, au lieu de le solliciter pour obtenir toujours plus. Félicitez-le pour la vie qu'il vous permet de mener et ne masquez pas votre joie quand il vous gâte par un voyage, un cadeau ou une étreinte.

ÉPOUSE ET MÈRE : UN VÉRITABLE MÉTIER

Ne vous plaignez jamais. Ceux qui se plaignent de ne pas avoir suffisamment d'argent sont insupportables. Même si c'est vrai, gardez votre honneur et votre fierté. Les autres n'ont pas à être au courant de vos soucis d'argent. La roue tourne ; économisez, soyez inventive, mais ne vous lamentez pas. Et si vous devez pour un temps travailler un peu afin de suppléer le salaire de votre époux, assurez-le que vous le faites pour votre épanouissement personnel et non parce qu'il ne gagne pas suffisamment d'argent. Ménagez sa fierté, conservez la vôtre ! Vous serez plus crédible en trouvant un emploi gratifiant qui vous corresponde. Attention toutefois à ce que cela n'empiète pas sur vos tâches de mère et d'épouse.

Vous comprenez bien qu'en rentrant en fin de journée, avec quelques semaines de vacances par an, vous serez forcément moins disponible pour votre mari ou votre progéniture. Demandez à un enfant tenu de rester en garderie ou chez une nourrice jusqu'à la nuit tombée s'il ne préférerait pas être avec sa maman pour lire, jouer ou discuter. Bien entendu, il ne s'agit aucunement de faire culpabiliser les mères qui travaillent, mais juste de rétablir l'équilibre en rendant aux épouses et mères au foyer l'hommage qui leur est dû : leur sacrifice pour leur famille n'est pas vain et doit être reconnu.

Gérer crises et doutes

Être épouse, c'est aussi être à l'écoute permanente, sentir quand votre époux va mal et l'épauler au besoin. C'est accompagner ses joies, ses rires, ses peines, ses doutes. Être épouse, c'est l'aider à se réaliser en lui permettant de découvrir tout son potentiel, à amorcer les différents virages de sa vie professionnelle et d'homme.

C'est vous qui l'aiderez à passer du statut de fiancé à celui de mari, puis de père et de grand-père. C'est vous qui l'épaulerez pour ses promotions, ses éventuels changements de carrière. Soyez toujours à l'écoute. Devinez, avant de les connaître, le caractère de ses collègues, de ses proches, de ses amis, de son patron s'il en a un.

ÊTRE UN PILIER

Quand il doute, car il aura forcément des périodes de doute dans sa vie, rassurez-le. Il n'a pas besoin de votre anxiété mais de votre soutien. S'il est protecteur à tous les instants, permettez-lui dans l'intimité de mettre sa tête sur votre épaule et dites-lui que tout ira bien, qu'il a toujours su gérer sa vie jusqu'à présent et qu'il y arrivera à nouveau et mieux encore, puisqu'il n'est pas seul : il vous a, vous, fidèle et merveilleuse compagne de tous les instants. Soyez son socle solide comme il est le vôtre. C'est ainsi qu'une vie de couple se construit, doucement, pas à pas, en surmontant les vagues et les courants.

Vous traverserez des moments de doute vous aussi ; je vous déconseille alors d'en parler à votre époux. Saurait-il seulement vous écouter avec l'attention nécessaire ? Il vous demandera ce qu'il y a, il essaiera peut-être de faire semblant de s'y intéresser, mais au fond de lui, l'homme n'aime pas les complications et il y a fort à craindre que vos états d'âme l'agaceront. Ne lui dites rien, soyez à ses yeux optimiste et souriante. Offrez à vos amies, à vos sœurs, à vos cahiers intimes vos doutes et vos peurs, trouvez des solutions, mais ne lui en parlez pas, vous seriez déçue de son manque d'attention. Il ne sera probablement pas à la hauteur de la consolation que vous savez pourtant lui apporter lorsqu'il en a besoin.

RESTER SOLIDE DANS LES TEMPÊTES

Si votre couple traverse une crise, suggérez-lui de partir quelques jours chez un ami ou un parent pour prendre du recul et réfléchir. Évitez les scènes, les cris et les larmes. Écoutez d'abord et agissez ensuite.

Si votre conjoint traverse des difficultés professionnelles, épaulez-le. Montrez-lui qu'il n'a pas moins de valeur à vos yeux. Croyez en lui, soyez son premier soutien, surtout quand il doute, et rappelez-vous toujours ce pour quoi vous l'avez épousé.

Monsieur du Préhaut, mon époux adoré, est un homme taciturne. Il parle peu, dévoile rarement ses pensées mais sait, par des petits gestes, me prouver son affection. En quarante années de vie commune, nous avons connu des moments plus difficiles que d'autres. Il m'est arrivé de douter parfois et si, au début de notre mariage, je m'en remettais à lui, je voyais dans son regard que je venais de lui donner un poids plus considérable à porter que la faillite de l'une de ses entreprises. Aujourd'hui, je ne confie rien. Si je suis un peu soucieuse et qu'il me demande comment je vais, je réponds que je me porte bien, avec un sourire un peu triste. Je sais qu'il comprend ainsi et je lis dans ses yeux la gratitude car je ne lui impose rien de mes états d'âme. J'accepte le fait que, s'il est protecteur, je suis consolatrice, et c'est très bien ainsi.

Les vacances et les sorties

Au milieu du quotidien et des tâches parfois répétitives, vous aurez aussi, je vous le souhaite, l'occasion

de partir en vacances. Ce sont des moments privilégiés où vous pourrez être davantage avec vos proches,
afin d'apprécier avec eux le bonheur de vivre.

Un lieu reposant

Bien sûr, il serait bon que vous vous chargiez vous-
même de trouver un lieu agréable pour vous évader
un peu. Vous vivez en ville ? Optez pour la campagne. Et si vous êtes déjà à la campagne au quotidien, pourquoi ne pas choisir de découvrir les musées
de la capitale ?

Ayez soin de sélectionner un lieu reposant ou du
moins ressourçant, pas trop éloigné mais dépaysant.
Émerveillez votre époux par vos talents d'organisatrice et pensez un peu à vous aussi : les vacances peuvent être le moment de déléguer les tâches ménagères
ou la cuisine. Prévoyez-le !

Se retrouver

Les vacances demeurent aussi le moment idéal pour
se retrouver et aborder les conversations qu'il est délicat d'avoir dans l'année. Plus détendu, votre époux

sera sans doute aussi plus à l'écoute ; profitez-en mais n'en abusez pas, il pourrait vous reprocher de lui gâcher son temps de repos !

LES SORTIES

Les sorties sont un peu des petites vacances réparties dans l'année. Théâtre ou opéra, restaurant ou randonnée, ces escapades sont des moments que je vous conseille d'organiser. Englué parfois dans une routine sinon familiale, du moins professionnelle, votre époux rêve sûrement d'évasion, et vous aussi. Surprenez-le : il y a fort à parier qu'il aimera votre fantaisie, tant qu'elle reste mesurée, cela va de soi.

S'OUVRIR L'ESPRIT

Ne restez pas enfermée en permanence à la maison. Un abonnement culturel vous ouvrira l'esprit et des opportunités de belles fréquentations. Et puisque l'on s'habille plus élégamment que de coutume pour ce genre de sorties, vous aurez la possibilité de briller devant votre époux en vous parant de vos plus beaux atours. Fréquenter les lieux culturels vous permettra également d'avoir des sujets de conversation pour vos prochains dîners. Songez donc à vous documenter quand vous sortez : n'écoutez pas seulement un opéra, parcourez-en le livret ; n'arpentez pas uniquement un musée, mais relisez le catalogue de l'exposition et retenez-en ce qui vous intéresse.

VARIER LES PLAISIRS

Vous connaissez l'adage : « un esprit sain dans un corps sain ». Alors songez aux sorties sportives en famille ou avec votre époux. La randonnée est l'occasion de discuter sur le chemin, comme le vélo ou le ski de fond. Partager une saine activité sportive est un excellent moyen de se sentir en forme !

Savoir fermer les yeux

La vie de couple n'est pas un long chemin dépourvu d'embûches ou de tentations. Si on vous rapporte que votre mari est proche de sa collaboratrice, qu'il s'absente de plus en plus souvent ou que ses réunions sont étonnamment tardives, coupez court aux rumeurs. Les amis sont ceux qui ne vous diront rien directement pour ne pas vous blesser. Si vous avez un doute, posez franchement la question à votre époux, mais ne soyez pas indiscrète, ne fouillez pas dans ses affaires, ne cherchez pas à en savoir plus que nécessaire.

GARDER CONFIANCE

S'il dément, faites-lui confiance. S'il est évasif, n'insistez pas. S'il s'éloigne de vous, il n'est pas le seul fautif ; voyez cette mise en garde comme l'occasion de vous soigner davantage. Peut-être étiez-vous un peu plus négligée, inattentive ? Donnez-lui envie de retrouver plus tôt la maison… et de vous retrouver, vous. Soyez intéressante, séduisante et patiente. Il vous reviendra. La raison l'emporte toujours sur le plaisir.

ACCEPTER SES HORAIRES

Sa première maîtresse peut être son travail. Acceptez qu'il se consacre à son labeur pour son épanouissement personnel, mais aussi pour le bien de votre famille. Ne croyez pas que cela l'amuse de demeurer toujours éloigné de la maison. Ses réunions peuvent être épuisantes ; raison de plus pour l'accueillir chaleureusement à son retour !

Faire honneur sans être un faire-valoir

Ayez de la conversation, donnez-lui envie de rentrer chaque soir. Soyez plus intéressante encore que ses employés, ses collègues de bureau ou sa secrétaire. Si vous n'avez à lui parler que de la santé de la voisine et du prix des légumes, cela risque vite de le lasser. Lisez ! Tenez-vous informée de l'actualité, des cours de la Bourse si c'est un financier ou de la météo s'il est jardinier. L'essentiel est de vous intéresser à son univers et d'en avoir un à vous à lui offrir en retour.

De la même façon, songez toujours à votre allure : votre mari sera fier de vous présenter à son entourage comme une femme belle et intelligente.

INDISPENSABLE ET DISCRÈTE À LA FOIS

Suivre ses entreprises, comprendre son travail, deviner le tempérament de ses collègues : tout cela est important, mais sachez rester à votre place et ne pas vous immiscer dans ses affaires. Conseillez-le s'il vous le demande, mais sachez vous taire si vous sentez que c'est le mieux à faire. Intelligente oui, mais pas ouvertement plus que lui…

Être épouse et mère

Le plus souvent, le mariage est une étape avant d'avoir des enfants. Il est en effet rare qu'un couple, s'il peut en avoir, décide de ne pas en élever. Le couple devient alors une famille et cela engendre pour vous des tâches supplémentaires, mais aussi tellement plus de bonheur ! Évitez de laisser un trop grand écart d'âge entre les frères et sœurs, ils tisseront ainsi de meilleurs liens.

Le choix d'un prénom

Avant même sa naissance, vous songerez certainement au prénom à donner à votre enfant. Son choix
est une étape très importante qui montre déjà la
façon dont vous envisagez son éducation. Appeler
votre enfant « Jason » n'aura pas du tout la même
implication selon que vous songiez au héros grec ou
à celui d'une série télévisée américaine. Consacrez-
vous donc avec application à ce choix qui peut vite
se révéler cornélien.

FAMILIAL...

Votre grand-père s'appelait Eustache, Casimir ou
Hannibal ? Réfléchissez bien aux conséquences sur la
vie de votre fils si vous l'affublez du même nom. Donner un prénom familial engendrera forcément une
certaine forme de comparaison, sinon d'assimilation.
Si le grand-père était entreprenant, charismatique et
amusant, on s'attendra à ce que votre enfant ait ces
qualités ; vous-même l'éduquerez peut-être plus ou
moins consciemment en conséquence. Donner à un

enfant le prénom d'un aïeul est aussi une marque de reconnaissance, une preuve manifeste d'amour ou d'admiration ; c'est une façon de perpétuer l'histoire familiale.

... OU ORIGINAL

Parfois, au contraire, les parents souhaitent se démarquer en choisissant des prénoms peu communs et même un peu trop originaux. Là encore, ne tombez pas dans l'excès. Toute sa vie, l'enfant aura à défendre son prénom et à l'assumer. Pensez-y avant de déclarer à l'état civil une Sophie-Myrtille, un Hercule ou une Pétronille.

L'éducation

Élever vos enfants n'est pas la moindre des responsabilités qui vous sont confiées. Vos enfants, sans être une extension de vous-même, représentent aussi, à l'extérieur, votre famille, et il est bon qu'ils soient parfaitement éduqués, irréprochables, afin que l'on vous félicite des futurs adultes que vous formez.

En épouse modèle, vous ferez le choix de les élever vous-même et ne permettrez pas à une nurse, fût-elle excellente, de recueillir les premiers mots de vos bébés, leurs premiers pas. Si nécessaire, faites-vous aider par une *nanny*, mais conservez des moments privilégiés avec vos enfants.

Montrer l'exemple

Évidemment, c'est par l'exemple que l'on enseigne le mieux. Soyez intègre si vous souhaitez que vos enfants le soient et observez avec attention leurs travers ; ils trahissent généralement les vôtres, que vous ne remarquiez même pas.

Faites attention à ne pas dire de mal d'autrui devant eux, premièrement et avant tout car ce n'est pas une chose à faire, mais aussi pour éviter que les chenapans vous trahissent en répétant ce qu'ils ont entendu. Soyez donc à l'image des enfants dont vous rêvez.

Enseigner la politesse

La politesse demeure la clé de voûte de leur éducation. Il va sans dire que la grossièreté ne doit jamais être tolérée chez vous et je vous engage à réprimander sévèrement vos enfants s'ils ne respectent pas cela. La politesse, c'est aussi les bonnes manières : ne pas couper la parole aux autres, laisser sa place aux personnes âgées ou aux femmes enceintes dans les transports en commun, etc. Combien il est pénible d'assister au spectacle affligeant d'enfants hurlant dans les lieux publics, sous le regard indifférent, sinon attendri, de leurs pàrents! Diable, c'est insupportable! De la même manière, n'acceptez aucun caprice, restez ferme et inflexible devant leurs menaces enfantines.

POSER DES LIMITES

Posez des limites! Ce n'est pas aimer que de laisser un enfant faire ce qui lui plaît. Il a besoin de repères et c'est vous qui les lui donnerez. Qu'il connaisse l'heure à laquelle il doit rentrer et qu'il n'y déroge pas, qu'il applique les règles de la maison sans contestation. Vous saurez en ce sens être juste et loyale afin de rester crédible et respectée de votre enfant. Gérez vous-même les affaires courantes et ne faites intervenir votre époux que dans des cas graves.

COMMUNIQUER

Pour autant, vous n'éduquerez pas vos enfants comme un général d'armée. Vous saurez user de finesse et de toute la tendresse maternelle dont vous êtes capable. Parlez, communiquez, apprenez à vos enfants les usages, expliquez-les afin qu'ils les comprennent, ils ne les appliqueront que davantage. Demandez-leur s'ils sont heureux, enquérez-vous de leurs états d'âme et apprenez à déceler ces petits riens, signes d'un trop gros chagrin dont ils n'osent pas parler mais dont ils seront soulagés dès qu'ils vous l'auront confié.

NE PAS PERDRE LE LIEN

Les enfants grandissent à une vitesse surprenante. Petits, ils sont encore câlins et une histoire suffit à conserver l'intimité. Songez qu'à l'adolescence, ils risquent de s'entourer de plus grands secrets et si vous n'avez pas pris soin de conserver le lien, ils pourraient s'enfermer et ne plus rien vous raconter. Intéressez-vous donc à ce qu'ils vivent et ressentent en permanence, sans les harceler. Parlez-leur de leur père avec fierté et n'en dites jamais de mal devant eux.

Les punitions

Les enfants n'obéissent pas toujours, voire pas souvent, et quelquefois il est nécessaire de sévir, de marquer le mécontentement pour qu'ils comprennent, qu'ils apprennent. Parfois, il faut donc les punir, même si cela nous déplaît.

LA FESSÉE

La fessée est un châtiment corporel, de même qu'une gifle ou une règle claquée sur le bout des doigts. C'est un geste profondément humiliant et injuste : vous êtes plus forte physiquement que votre enfant et vous en profitez. Le châtiment corporel ne doit donc pas faire partie de vos punitions. Jamais.

Une punition sert à faire réfléchir l'enfant sur l'erreur qu'il vient de commettre. Le mettre au coin est une façon de l'inciter à faire silence en lui-même et à penser à son acte. Lui faire porter un bonnet d'âne est humiliant, ne sert à rien pour le corriger et même aggrave son sentiment d'injustice. La violence est l'acte de l'imbécile, de celui qui ne réfléchit pas et qui, en dernier recours (ou en premier), agit avec son corps et non avec son esprit. Ne frappez donc jamais votre enfant. Si vous le fessez pour un pot de fleurs cassé par exemple, qu'allez-vous donc lui faire quand la bêtise sera plus importante ? Le fouetter ? Allons, allons, soyez donc sage et raisonnée.

Pour autant, il peut arriver, lors d'un énervement particulier, d'une colère accrue, qu'une gifle incontrôlée parte. Je ne l'excuse pas, loin de là ; je dis simplement que vous êtes humaine et que cela peut arriver très malencontreusement. Dans ce cas, ne vous morigénez pas à outrance, présentez immédiatement des excuses à votre enfant, sans culpabilisation excessive. Expliquez-lui que vous vous êtes emportée et que c'était une erreur, et ne recommencez pas.

ÊTRE JUSTE MAIS FERME

Soyez donc proportionnée dans vos punitions et, dans la mesure du possible, avertissez de la sanction potentielle. Par exemple : « Sophie, je t'ai déjà demandé deux fois de ranger ta chambre et tu ne l'as pas fait.

Toi et moi, nous n'avons pas envie que je me mette en colère. Je ne le répéterai donc pas une nouvelle fois. Tu sais pourquoi je t'ai demandé cela, c'est une question de respect envers toi-même ainsi que tes frères et sœurs qui partagent ta chambre. Ce soir, à 18 heures, je reviens dans ta chambre et si elle n'est pas rangée comme prévu, tu seras punie : demain, tu n'iras pas passer l'après-midi chez ton amie Claudine. » Dans ce cas précis, vous rappelez la consigne et pourquoi vous l'avez donnée, vous affirmez que vous avez été patiente, vous laissez une dernière chance et vous annoncez la sanction possible.

Évidemment, ajustez toujours la punition : ne donnez pas de sanctions ridicules (« si tu ne le fais pas, maman sera très triste/tu n'auras pas de bonbons ») ni démesurées (« tu seras privé de sortie jusqu'à ta majorité ! »).

Il peut être important aussi de comprendre pourquoi votre enfant a fait une bêtise ou pourquoi il n'a pas fait ce que vous lui aviez demandé. Si besoin est, renseignez-vous avant de punir. Par exemple, votre enfant n'est pas allé au cours de piano ; vous apprenez qu'il a en fait passé la matinée à la bibliothèque. Interrogez-vous, interrogez-le. Peut-être a-t-il peur du professeur de piano ou avait-il un devoir de géographie à terminer et qu'il n'a pas osé vous le dire ?

Ne punissez pas à mauvais escient, tâchez toujours de comprendre avant.

RESTER INCORRUPTIBLE

Parfois la punition est vraiment nécessaire, notamment quand vos enfants dépassent les bornes. N'acceptez pas tout pour vous faire aimer d'eux à tout prix, vous en feriez des enfants capricieux, incapables de gérer la frustration et qui ne vous respecteraient pas.

Les enfants testent en permanence vos limites, c'est ainsi qu'ils se construisent ; ils ont besoin de savoir ce qu'ils peuvent faire ou non, vous êtes leur repère. Certains, plus rebelles que d'autres, tenteront de franchir ces limites ; c'est utile aussi : après tout, vous ne voulez pas en faire des moutons de Panurge, mais des êtres qui réfléchissent par eux-mêmes. Cependant, n'acceptez pas tout, ne riez pas de leurs bêtises ou de leur insoumission, surtout lorsque cela pourrait être dangereux pour eux. Vous expliquez à votre enfant qu'il doit toujours vous avertir de son retard ; un jour, il ne le fait pas et vous dites que ce n'est pas grave ? Il recommencera. Jusqu'à ce que cela risque de le mettre en danger car il s'absentera plus longtemps sans que vous sachiez où il est.

Quand vous punissez, tenez-vous-en toujours à ce que vous avez dit et ne revenez jamais dessus. Vos enfants comprendront ainsi que lorsque vous avez dit « non, c'est non », il n'est pas utile de tenter de vous persuader. Soyez aussi en parfaite harmonie avec votre époux : qu'il ne dise pas oui quand vous avez dit non, et que vous ne leviez pas une sanction en son absence pour vous faire plus aimer de vos enfants.

Vous n'êtes pas l'amie de vos enfants, vous êtes leur mère : cela implique que vous avez des responsabilités à leur égard. L'une d'elles consiste à dessiner les limites qu'ils ne devront pas franchir. Il ne s'agit nullement d'une entrave à leur liberté, mais d'une simple question de bon sens et même d'éducation civique : la liberté s'arrête là où commence celle d'autrui, vous vous souvenez ?

L'apprentissage de la propreté

L'apprentissage de la propreté est un élément majeur de l'éducation. La propreté du tout jeune enfant marque d'ailleurs généralement son accès au monde social par son entrée à l'école. Ce n'est certes pas la partie la plus agréable à gérer, mais plus tôt vous vous y astreindrez, plus tôt vous en tirerez les bénéfices.

LES TOILETTES

Dès 18 à 24 mois, vous pouvez envisager d'apprendre à votre enfant à être propre et à se passer de ses langes. Le printemps et l'été sont les saisons les plus propices à cette éducation. Il sera en effet facile de laisser le petit avec un simple vêtement qu'il ne supportera pas de porter mouillé et que vous pourrez changer rapidement. Lui-même sera capable de se déshabiller avec peu de difficulté.

Vous prendrez soin de lui expliquer ce que vous attendez de lui et de le convier régulièrement, comme s'il s'agissait d'un jeu, à utiliser « comme les grands » les toilettes de la maison, voire des toilettes adaptées à sa petite taille.

Gardez patience et acceptez les incidents. En une dizaine de jours, quinze tout au plus, vous aurez réglé cette question qui vous épargnera par la suite la corvée plus que fastidieuse des couches. Votre enfant pourra alors intégrer une école sans contrainte pour la maîtresse qui, vous en conviendrez, a bien autre chose à faire que de gérer l'hygiène de toute sa classe.

L'HYGIÈNE CORPORELLE

Vous habituerez également votre enfant à prendre un bain, à se laver chaque jour avec plaisir. Si un canard de bain peut agrémenter le moment et le rendre plus ludique, un grand nombre de jouets risque de le distraire et de lui faire oublier ce pour quoi il est dans l'eau. Usez donc de parcimonie et ne l'habituez pas à obtenir du plaisir à tout prix pour qu'il accepte de se plier à une tâche.

Vous lui apprendrez à se laver et, progressivement, le laisserez utiliser seul la salle de bains, quand vous jugerez qu'il est assez grand pour rester dans l'eau sans danger (laissez la porte entrouverte au début).

L'adolescence peut être une période plus délicate pour certains. Soyez d'autant plus vigilante, en imposant une douche chaque soir. Si votre enfant est récalcitrant à se laver, ne soyez pas inquiète cependant : le temps des amourettes lui imposera vite le désir d'être propre, voire coquet.

Évidemment, l'hygiène dentaire ne sera pas négligée, elle est même de premier ordre. Offrez donc dès son plus jeune âge une brosse à dents à votre enfant (même s'il s'en sert mal au début et que vous deviez le faire pour lui). Ce qui est important, c'est de l'habituer à la démarche. Apprenez-lui la règle de trois : un brossage de dents trois fois par jour, durant trois minutes, et un changement de brosse à dents tous les trois mois. Investissez dans un sablier, utilisez une chanson qui dure le temps nécessaire et qui sera à écouter pendant le brossage…

Bien entendu, une visite chez le dentiste s'impose une fois par an pour un simple contrôle. Si besoin est, vous consulterez davantage.

Pensez à prendre aussi rendez-vous chez l'ophtalmologiste et chez l'ORL dès l'entrée en cours préparatoire. La visite sera peut-être inutile, mais elle peut permettre de déceler un souci que vous n'aviez pas remarqué auparavant et qu'il sera judicieux de traiter dès ce moment.

Je vous conseille de prendre ces divers rendez-vous chaque année à la rentrée des classes, afin de ne pas oublier de le faire. Si c'est une période où vous êtes débordée, choisissez le début d'année civile. L'important est la régularité et de choisir une date que vous n'oublierez pas.

LES POUX

Les poux sont un fléau récurrent. Il est des enfants qui ont ce que l'on appelle « une tête à poux » et d'autres qui ne connaissent pas ce problème. Ce n'est pas une question d'hygiène, c'est ainsi. Si votre petit fait partie des « têtes à poux », vous risquez d'être ennuyée toute sa scolarité, au moins tout le primaire, où les contacts de tête à tête sont plus fréquents. Si vous repérez des poux dans les cheveux de votre enfant, ne culpabilisez pas (ce n'est pas votre bambin qui a créé les poux, ils existaient déjà sur Terre bien avant sa naissance), mais avertissez les enseignants, qui se chargeront de diffuser l'information auprès des autres parents. Si vous-même apprenez qu'un enfant a des poux, soyez assez respectueuse pour ne pas incriminer le pauvre petit et sa famille. Cela pourrait bien être un jour votre tour.

Couper tous les cheveux de votre enfant, surtout s'ils sont longs, sera sans doute plus commode pour le traiter, mais les poux reviendront quand même ; songez-y avant de sacrifier la longue chevelure rousse de votre fille. Évitez également les produits trop agressifs. Quelques gouttes d'huile essentielle de lavande dans les bonnets et sur les oreillers peuvent déjà faire fuir les indésirables. Vous pouvez en mettre une goutte ou deux derrière les oreilles de vos enfants, à condition qu'ils soient d'une nature très dynamique ! La lavande calme et endort en effet. Graissez les cheveux avec une huile, laissez toute la nuit pour étouffer poux et lentes, puis peignez avec un peigne très fin au matin, avant un shampooing (dans lequel vous aurez ajouté quelques gouttes d'huile essentielle de lavande et de *tea tree*. Vérifiez bien le dosage avec votre pharmacien !). Pour le reste, il vous faudra du courage, de la patience et de la détermination. Quand les poux entrent à la maison, ils y restent en général un petit moment. Dès les premiers signes d'infestation, placez tout votre linge dans la machine à laver, y compris les housses de canapé, bonnets et manteaux. Lavez à 60 °C.

LE LINGE

Comme vous-même et votre époux, vos enfants porteront un linge impeccable. Apprenez-leur à en prendre soin, à ne pas porter de beaux vêtements lorsqu'ils jouent au jardin par exemple. Les belles tenues sont réservées aux occasions particulières. Puisque vous repassez, ils sauront ne pas chiffonner leurs habits de façon intempestive quand ils les retirent et les remettent. À l'occasion, s'ils sont assez grands, apprenez-leur comment repasser eux aussi ; ils mesureront ainsi la pénibilité de la tâche et seront peut-être d'autant plus vigilants par la suite.

Ils peuvent disposer d'un panier à linge dans leur chambre, mais le mieux serait qu'ils déposent leurs vêtements sales dans le panier familial. Pour cela, apprenez-leur très tôt à vider leurs poches avant de les mettre dans le panier ! Cela vous épargnera de laver par inadvertance des cailloux, des feuilles, de vieux mouchoirs ou pire encore, des cartouches d'encre oubliées et d'en faire ainsi profiter tout le reste de votre linge.

La lessive est aussi un petit travail que vous pouvez leur confier, car il est bon d'apprendre très tôt aux enfants à participer aux tâches ménagères. Ils pourront ainsi laver un peu de linge à la main, s'il est trop fragile ou s'il déteint, et dans tous les cas, vous aider à l'étendre sur le fil et à le ramasser.

L'enseignement de l'ordre

Mettre ses affaires en ordre permet d'avoir son esprit en ordre. De même que l'on travaille mieux sur un bureau rangé et bien organisé, une maison est plus appréciable quand rien ne traîne et que tout est à sa place. Pour éviter de toujours ramasser derrière vos enfants, apprenez-leur à systématiquement replacer ce qu'ils ont dérangé. De même, comme nous le relevions plus haut, il importe que vous les impliquiez dans la vie de la maison en leur confiant de petites responsabilités dans les tâches ménagères.

METTRE LA TABLE

C'est généralement vous qui vous occuperez du repas. Vos enfants ne sont pas des mitrons, mais vous pouvez parfois les avoir à vos côtés pour leur apprendre des petits plats simples qu'ils sauront refaire seuls ensuite. Ils seront très fiers de participer à cette tâche. Montrez à votre fils comment couper une tomate pour en faire une entrée et il sera ravi de porter le mets à table, devant tous.

Si vos enfants sont trop petits pour la cuisine, ils peuvent au moins mettre la table ; c'est une chose qu'ils ont la possibilité de faire à plusieurs (évitez de répartir la tâche à tour de rôle ou tenez un tableau très précis si vous ne voulez pas gérer les disputes). Au besoin, divisez les responsabilités : il y aura le responsable des verres (à eau et éventuellement à vin), le responsable des couverts (couteaux, fourchettes, cuillères), celui des assiettes (creuses, plates, à dessert), celui de la décoration, des serviettes, etc. La responsabilisation est très importante pour que vos enfants s'impliquent. Vous pouvez aussi leur expliquer qu'en agissant ainsi, ils vous aident, qu'une tâche répartie entre plusieurs personnes est allégée et bien moins fastidieuse que lorsqu'on doit s'en occuper tout seul.

FAIRE SON LIT

Apprenez-leur aussi très tôt à aérer leur chambre quelques minutes, sauf si vous vivez en appartement et que les fenêtres sont dangereuses pour les plus petits qui risquent de se pencher et de tomber (dans ce cas, c'est vous qui vous en chargerez), mais surtout à faire leur lit, c'est-à-dire le remettre en état chaque matin. Pour leur faciliter la besogne, vous pouvez opter pour une simple couette recouverte d'une housse ; ils n'auront alors vraiment pas grand-chose à faire. Montrez-leur la satisfaction d'entrer dans une chambre où le lit est fait, ce qui donne déjà l'impression qu'elle est rangée.

Faire le lit implique aussi le changement des draps. Dès qu'ils sont assez grands pour cela, demandez-leur de les retirer tout seuls, une fois par semaine, par exemple le samedi, afin de les mettre à laver et de les changer. Ces habitudes que vous leur inculquez peu à peu s'inscrivent en eux et ils sauront ainsi agir comme il est nécessaire lorsqu'ils seront adultes.

Il n'est nul besoin que le lit soit fait au carré (encore que), mais il faut au moins que la pièce soit agréable à vivre et que les draps soient toujours propres et frais. Évitez de recouvrir le lit de trop de jouets ou de peluches ; vous en autoriserez un seul afin de permettre à votre enfant de bien dormir et de ne pas être encombré. La peluche retenue ne sera pas forcément la même chaque soir, restez souple.

RANGER SA CHAMBRE

Vos enfants ont peut-être la chance d'avoir une chambre à eux, ou bien ils la partagent à deux ou trois. C'est leur espace ; en ce sens, permettez-leur d'y faire ce qu'ils souhaitent, en matière de décoration par exemple (apprenez-leur néanmoins à avoir du goût et à ne pas surcharger). Puisque c'est leur pièce, ils doivent aussi la respecter. Expliquez-leur que ce lieu les représente, qu'il est à leur image et qu'il doit être accueillant, agréable à vivre, pour qu'ils aient plaisir à y demeurer et à y inviter des amis.

Ne rangez pas leur chambre vous-même, c'est à eux de le faire. Bien sûr, vous pourrez entrer pour faire le ménage, épousseter, laver le sol, changer les rideaux, mais ne vous immiscez pas dans leur univers. Les enfants ont le droit d'avoir de petits secrets. Vous pouvez aussi autoriser que la chambre soit un peu en désordre dans la journée pour y jouer (vous ne vivez pas dans un musée, je le rappelle), mais tout doit être impérativement rangé avant la nuit pour faciliter un sommeil réparateur.

S'ils sont plusieurs dans une chambre, définissez bien le territoire de chacun et des règles de vie commune. L'apprentissage de la vie en société commence par celui de la vie avec sa fratrie. Bien sûr, vous serez intraitable sur le moment du coucher, à une heure raisonnable en période scolaire et qui pourra s'assouplir uniquement durant les vacances et week-ends.

Le sommeil de l'enfant est extrêmement important (comme le vôtre d'ailleurs). Seule une bonne nuit de repos lui permettra de bien étudier en journée.

L'école

C'est à l'école que vos enfants passeront la majeure partie de leur temps ; c'est aussi là qu'ils peaufineront l'éducation enseignée chez vous, c'est dire l'importance de son impact et de son choix. N'oubliez pas non plus qu'à l'école, votre enfant se fera des relations (et vous aussi) ; songez donc à choisir un établissement en rapport avec vos aspirations et vos attentes. Certains parents n'hésitent pas à déménager pour que leur progéniture puisse intégrer un lieu d'études approprié. À vous de voir si les établissements scolaires autour de chez vous vous agréent.

PRIVÉE OU PUBLIQUE

Si certains parents choisissent de déménager pour vivre près de l'école convoitée, d'autres se contentent de l'établissement de quartier. À vous de décider.

L'école doit correspondre à vos valeurs morales et à vos convictions, qu'elles soient sociales ou spirituelles. Lorsque l'on vous demandera où vos enfants suivent leurs cours, vous devrez pouvoir répondre sans avoir honte, et même avec une once de fierté.

Faut-il choisir le public, pour un brassage des populations, ou opter pour le privé qui sélectionne indirectement et se montre souvent plus sévère dans l'organisation ? Les deux choix sont bons et vous saurez retenir celui qui vous attire le plus.

Visitez les locaux, rencontrez le personnel enseignant et surtout, interrogez les parents de votre entourage pour vous aider à prendre une décision. Regardez le taux de réussite aux examens, renseignez-vous sur les options proposées, les activités annexes et les horaires de l'établissement. Les bâtiments vous semblent-ils en bon état ? Y avez-vous accès facilement (bus, train, parking) ? Qu'en est-il de la discipline et de la fréquentation de l'établissement ? Le choix n'est pas anodin, car vous éviterez ensuite de changer trop souvent votre enfant d'école. Prenez donc bien le temps de réfléchir avant l'inscription.

LES DEVOIRS

Surveillez les devoirs de vos enfants, engagez un étudiant pour les aider au besoin. Cela permet de vérifier leur niveau et de consolider leurs acquis si cela se révèle nécessaire. Vous comprenez bien que votre époux n'aura guère de temps à consacrer à cette obligation. Au contraire, faites en sorte qu'il soit fier devant le bulletin scolaire de son fils ou de sa fille. Et cela vous aidera à réviser votre grammaire !

N'hésitez pas, dans un premier temps, à vérifier avec l'enfant s'il a des devoirs ou non, à lui faire réviser ses leçons. Demandez-lui chaque jour ce qu'il a appris et voyez s'il est capable de le restituer. Dans le cas contraire, passez un peu de temps avec lui pour revoir le cours. Il est important qu'il n'ait pas de lacunes qui risqueraient de s'accumuler. Si votre enfant doit être absent (en cas de maladie ou autres), demandez à un camarade de lui apporter ses devoirs et le programme vu en classe. Votre enfant doit toujours pouvoir rattraper son retard aisément. Rappelez-lui que les devoirs ne sont pas une contrainte, mais un moyen de vérifier sa compréhension du cours.

Rencontrer les enseignants

Aussi fastidieuses que ces réunions régulières puissent vous paraître, vous vous devez d'assister aux rencontres proposées par les enseignants de vos enfants. Profitez-en pour en savoir davantage sur l'attitude de vos chérubins en classe. Être épouse modèle, c'est aussi être une mère modèle : votre mari ne vous a-t-il pas choisie également pour élever vos petits et perpétuer ainsi sa lignée, et la vôtre ?

Votre enfant n'a peut-être pas le même comportement en classe et à la maison, ou l'enseignant, qui est face à plusieurs élèves qu'il ne voit pas toujours très longtemps, s'en fait peut-être une opinion particulière… Ces rencontres permettent de mettre à plat tous les malentendus. Discutez aussi avec l'enseignant des difficultés de votre enfant ou de ses facilités. Restez vigilante, attentive, et soutenez toujours votre petit, sans l'écouter exagérément toutefois.

Préparer leur avenir

Choix de l'école, des activités, soutien… Tout cela a un unique but : préparer l'avenir de vos enfants.

Peut-être aimeriez-vous que votre fils aîné prenne la succession du cabinet d'avocats de son père ou que votre fille cadette soit capable de gérer le restaurant de sa grand-mère ? Préparez l'avenir de vos enfants et servez leurs ambitions. Tout cela, bien entendu, en concertation avec leur père, qui a peut-être des projets déjà bien arrêtés pour eux.

Soyez à l'écoute de votre enfant, de ses désirs, de ses rêves. Ramenez-le doucement à la réalité si nécessaire et surtout, ne limitez jamais ses possibilités, ne l'enfermez pas dans une voie qui le bloquerait et rendrait plus difficile une reconversion. Servez cependant sa passion et apprenez-lui l'excellence en tout. Quel que soit son choix, il doit donner le meilleur de lui-même. S'il veut être musicien par exemple, confrontez-le à des heures d'étude sur son instrument. Son opiniâtreté révélera ses véritables passions.

RESPECTER LEURS CHOIX PROFESSIONNELS

Respectez leurs choix, pour une simple et bonne raison : si votre fils a l'âme d'un jardinier, il fera couler le cabinet d'avocats de son père et ce n'est pas ce que vous souhaitez. Un jour ou l'autre, la véritable nature de votre enfant refera surface et, non seulement il quittera le poste dont vous rêviez pour lui et qu'il avait accepté pour vous plaire, mais encore vous en voudra-t-il ! Sachez donc faire entendre raison à leur père s'il s'obstine (les pères n'ont pas toujours la même souplesse que nous).

Il n'est pas de métier plus ingrat qu'un autre ou, au contraire, plus valorisant. Certes, certains sont valorisés, mais c'est une autre histoire. En tant que mère, vous voulez le meilleur pour vos enfants et vous souhaitez qu'ils soient heureux. Trouvez donc le discours le plus sage et ne bridez pas leurs rêves, ils y reviendront forcément un jour ou l'autre.

Les amis des enfants

Vos enfants ne seront pas toujours avec vous, ils se feront des amis et cela est bon. C'est avec eux qu'ils achèveront de construire leur personnalité. Leurs camarades peuvent aussi vous permettre d'élargir votre propre cercle d'amis : les enfants font plus faci-

lement connaissance entre eux et vous pourrez aborder des personnes nouvelles par leur intermédiaire.

LES APPRÉCIER...

Comme il est plaisant d'apprécier les amis de ses
enfants et de voir l'influence positive qu'ils opèrent
sur eux! Vous vous réjouirez que votre petite dernière se soit remise au piano depuis que sa meilleure
amie en fait et vous serez sensible à l'engouement
de votre fils pour le cours de rugby auquel il se rend
en compagnie de son camarade. Ne soyez pas avare
de compliments et félicitez votre enfant de son dis-
cernement. Entretenez la relation en recevant les
parents, au moins pour un apéritif informel. Dans les
moments de latence de cette amitié, votre sympathie
pour les parents sera un atout non négligeable afin
de relancer les affinités voire d'aplanir les dissensions
que l'on traverse inévitablement, surtout à cet âge,
dans toute relation.

A contrario, si vous jugez que ses fréquentations sont mauvaises, soyez très vigilante. N'attaquez pas votre enfant de front en lui intimant l'ordre de ne plus voir son ami, vous le pousseriez ainsi à la rébellion, mais discutez et, au besoin, présentez-lui discrètement d'autres amitiés plus intéressantes pour lui.

Vous devez également expliquer pourquoi vous n'appréciez pas cette nouvelle fréquentation, en montrant à votre enfant combien il a changé depuis, et pas forcément en bien. Expliquez-lui aussi qu'il existe plusieurs degrés dans les rapports avec les autres, que l'on peut être camarades sans être amis. Montrez-lui surtout que l'amitié, comme l'amour, est un sentiment qui se construit avec le temps ; la relation doit se bâtir, elle n'est pas spontanée comme on peut avoir tendance à le croire dans l'enfance ou à l'adolescence. L'amitié vraie est faite de moments vécus ensemble, de partage. Une fois que vous l'aurez averti de cela, proposez à votre enfant de voir d'autres personnes que ce camarade que vous n'appréciez pas ; il verra de lui-même, avec le temps, si l'amitié est réelle ou non.

Les activités extrascolaires

« Un esprit sain dans un corps sain », avons-nous dit, alors de même qu'il est bon que vous vous entreteniez pour conserver une silhouette adéquate, apprenez très tôt à vos enfants le goût de l'effort. Vous n'êtes pas tenue d'en faire des champions olympiques, mais un minimum est indispensable. C'est une question de santé tout simplement. Toutefois, leurs activités ne doivent pas être uniquement physiques. Nourrissez le corps, abreuvez l'esprit !

LE SPORT

Choisissez un sport qui sied à la carrure de votre enfant ; le diriger vers le basket alors qu'aucun homme de votre famille ne dépasse un mètre soixante, c'est le porter vers de grandes désillusions. Vous n'avez que l'embarras du choix entre la course à pied, la natation, le tennis, etc.

Un sport collectif l'incitera à l'esprit d'équipe, tandis qu'un sport solitaire développera sa compétitivité.

Écoutez ses envies de rejoindre certains camarades. Ne choisissez pas une activité en fonction de vous (facilité à se garer près d'un gymnase, horaires pratiques de tel club…), mais des désirs et des besoins de votre enfant. Nécessite-t-il de se renforcer physiquement ? Proposez-lui des sports d'endurance. S'il a besoin de se socialiser, préférez un sport d'équipe ; si au contraire, il doit se recentrer sur lui, la natation sera très indiquée.

Écoutez-le, répondez à ses désirs et n'hésitez pas à lui faire essayer le plus d'activités sportives possible en début d'année ou de saison, afin de l'aider à faire un choix.

Si vous avez plusieurs enfants, ne les obligez pas, pour des raisons pratiques, à faire la même activité extra-scolaire. D'une part parce qu'ils n'ont pas forcément des goûts communs, ensuite parce qu'il est bon que les enfants aient aussi leur univers annexe, sans être toujours entourés de leur fratrie. Obliger une petite fille à faire du karaté alors qu'elle rêve de pratiquer la danse, sous prétexte que vous aurez moins de trajets à faire, n'est pas à votre honneur.

Bien sûr, votre emploi du temps est surchargé et pas toujours facile à gérer, mais vous n'aurez pas vos enfants toute votre vie à la maison. Songez à votre fierté, dans quelques années, d'avoir toujours choisi le meilleur pour eux. Ce n'est pas un sacrifice, c'est de l'amour, tout simplement. Comment croyez-vous que font les autres mères ? Elles gèrent elles aussi.

L'EXPRESSION ARTISTIQUE

Théâtre, chant, musique ? Autant d'arts qui réjouiront la créativité de votre enfant. Si les débuts sont parfois fastidieux (les parents dont l'enfant apprend le violon comprendront ce que je veux dire), l'opiniâtreté finira par récompenser vos jeunes prodiges. Bien sûr vous assisterez, en compagnie de votre époux, à toutes les représentations publiques de vos enfants. Votre présence les rassurera et les poussera à l'excellence, soyez-en assurée.

Incitez votre enfant timide à faire du théâtre ; il s'épanouira davantage et osera, dans le rôle d'un personnage, plus de choses qu'il n'en ose lui-même. Alors, peu à peu, il gagnera en assurance et en confiance en lui. Proposez des cours de danse ou d'art plasti-que, surtout si votre enfant est très scolaire, cela lui ouvrira l'esprit et lui offrira un autre terrain sur lequel s'exprimer.

Même s'il ne continue pas la musique, l'inciter à suivre quelques années de solfège et d'instrument lui donnera une base culturelle intéressante et lui sera profitable s'il souhaite reprendre plus tard. Expliquez-lui bien que toute année commencée doit être menée à son terme, c'est important pour développer sa motivation et son ardeur au travail. Si vous l'autorisez à arrêter dès qu'il se lasse un peu, vous n'en ferez pas un adulte très combattif et il en pâtira dans sa vie future.

POINT TROP N'EN FAUT

Les enfants ont certes beaucoup d'énergie qu'il faut nourrir et canaliser ; pour autant, ne les surchargez pas avec un emploi du temps digne d'un ministre. Laissez-les respirer et être des enfants. Offrez-leur aussi des moments de calme. Gardez des plages de détente, autorisez-les à ne rien faire ou à rêver. Il leur faut du temps où, justement, ils n'ont pas à surveiller le temps. Un moment où ils peuvent se lever plus tard, dessiner, lire, courir, faire du vélo. N'organisez pas tout et observez avec admiration et joie la personnalité de votre enfant s'épanouir seule, sans bruit, sous votre regard attendri.

Les goûters récréatifs

Parce que vous souhaitez apprendre aussi à vos enfants à mener une vie sociale, vous organiserez occasionnellement des goûters récréatifs, au moment de leur anniversaire par exemple. Permettre à vos enfants d'accueillir des convives vous donnera l'opportunité de leur expliquer que parfois, vous recevez vous aussi vos amis, et cela en leur absence. Décidez de l'organisation de la fête avec l'enfant, il est important qu'il occupe une place principale dans les différents choix, même si vous aurez soin de l'aiguiller habilement.

DÉFINIR UN THÈME

Pourquoi ne pas donner un thème à la rencontre? Fête d'anniversaire sous le signe d'un héros de roman ou goûter costumé de Mardi gras, tout est possible et envisageable, laissez libre cours à votre imagination ! Le choix d'un thème facilite grandement la tâche pour le reste des opérations (nourriture, cartons d'invitation, décoration…). L'originalité est la bienvenue dans ce cas, le monde des enfants étant par définition bien plus permissif que le nôtre.

Bien sûr, si vous pouvez suggérer, vous n'imposerez rien ; ce n'est pas votre fête, mais celle de votre enfant. Apprenez-lui l'originalité, la réflexion, l'envie de surprendre ses amis.

Vous choisissez le thème de l'île ? Quelle belle occasion de relire ou de lui faire découvrir *Robinson Crusoé* ! Vous optez pour le thème des sorcières ? Cherchez avec lui quelques histoires ou anecdotes sur le sujet. Le thème est à la fois une opportunité et un prétexte pour apprendre, chercher et imaginer.

LE CHOIX DES INVITÉS

Définissez avec soin le nombre d'invités autorisé en fonction de votre logement (ou de votre jardin) et sélectionnez avec votre enfant chaque personne. Les meilleurs amis auront leur place; quant aux simples camarades, assurez-vous que vous n'avez pas affaire à des sauvages turbulents qui pourraient mettre à mal toute votre organisation si savamment orchestrée. Cela peut aussi être l'occasion d'inviter un enfant que votre fils ou votre fille connaît mal, mais avec lequel vous pensez qu'il pourrait avoir des affinités. Soyez bien vigilante aussi sur le fait de ne pas inviter des enfants qui se chamaillent sans cesse ou se détestent.

Quand vous conviez un enfant, je vous rappelle que vous n'êtes pas obligée d'inviter également ses frères et sœurs. Vous ne retiendrez que ceux que votre propre enfant apprécie. Enfin, mentionnez les heures d'arrivée et de fin de réception, en précisant aux parents s'ils sont conviés à rester chez vous durant la fête ou au contraire à repasser plus tard pour récupérer leurs chères têtes blondes, rousses ou brunes. La précision est importante, car vous pourriez vous retrouver avec des parents qui n'osent pas partir comme vous l'aviez prévu, ce qui vous obligerait à vous occuper d'eux au lieu de la fête. Si vous souhaitez qu'ils restent, prévoyez un endroit de la maison pour les recevoir avec quelques boissons et grignotages.

Pour vous faciliter les choses, je vous suggère de vous organiser avec une autre maman qui viendra vous aider à la fête, à charge de revanche. Toutefois, je vous déconseille de célébrer deux anniversaires en même temps ; il est important d'individualiser les enfants, même si ce sont des jumeaux ou s'ils ont beaucoup d'amis en commun. Dans ce dernier cas, vous pouvez par exemple organiser deux fêtes le même jour, une le matin et une autre l'après-midi. C'est contraignant, il est vrai, mais vous aimez vos enfants et vous voulez le meilleur pour eux. Le goûter d'anniversaire est aussi une forme d'éducation. Et ce n'est qu'une fois dans l'année. Courage !

Les colonies de vacances

Éduquer vos enfants, c'est aussi leur apprendre à se détacher peu à peu de vous. Ils passeront peut-être plusieurs jours chez leurs grands-parents à l'occasion, ou quelques nuits chez des amis, mais lorsqu'ils s'éloigneront pour plus longtemps afin de rejoindre un autre groupe d'enfants, quelques précautions s'imposeront.

Marquer le linge

Chaque vêtement doit être brodé au nom de votre enfant ; ainsi, il risque moins d'égarer ses affaires et si ces dernières se retrouvent dans le sac d'un de ses camarades, il pourra les lui rendre aisément.

Bien entendu, vous aurez aussi pris soin de repriser tout vêtement présentant un accroc, si vous ne pouvez pas faire autrement en le remplaçant, cela s'entend.

Si vous avez plusieurs enfants d'âges différents et que vous envisagiez de donner le pull de l'aîné au cadet, prévoyez de noter uniquement le nom de famille sur le vêtement, sans le prénom. Rien ne sera plus désagréable pour le petit que de porter sur lui le nom de son grand frère, ou pire, de sa grande sœur ! Si le vêtement est mixte mais étiqueté en rose « Cerise du Préhaut », songez à ce que pensera le petit Maxime lorsqu'il portera cette marinière pourtant si jolie.

Les premières séparations

Évitez les effusions de départ, ne traumatisez pas votre enfant par la séparation. Vous le retrouverez dans quelques jours, grandi, en bonne forme et heureux. Il ne doit pas avoir dans ses derniers souvenirs votre regard larmoyant qui pourrait le faire culpabiliser de partir. Comme à votre époux, ne confiez pas vos états d'âme à vos enfants, ils ne sont pas là pour cela. La maman rassurante c'est vous, le pilier solide aussi.

De la même manière, vous aurez soin de ne pas lui envoyer de lettres où vous écririez combien il vous manque et que vous avez hâte de le retrouver, en ajoutant moult recommandations : « Fais attention à toi, ne parle pas aux inconnus, sois sage, ne cours pas, ne te blesse pas », etc. Au contraire, vous lui enjoindrez de s'amuser, de se détendre, vous serez enjouée en lui répétant combien vous êtes heureuse pour lui de cette nouvelle expérience.

LES ÉCHANGES DE NOUVELLES

Glissez dans ses affaires, avant de vous séparer, quelques enveloppes libellées à votre adresse et timbrées. Ajoutez un peu de papier et de l'encre, votre enfant n'aura ainsi aucune excuse pour ne pas vous donner de nouvelles. Vous-même aurez soin d'en prendre régulièrement, sans le harceler. Faites-lui confiance, apprenez-lui à se détacher de vous et montrez-lui que l'affection se poursuit même durant l'absence. « Loin des yeux, loin du cœur » : c'est un adage qui n'existe pas pour les mamans.

Apprenez également à votre enfant à prendre des nouvelles de ses grands-parents et à en donner quand il est en vacances. Une petite carte postale épargne les longs discours mais atteste une affection sincère.

Quand les petits quittent le nid

Inévitablement, et c'est avec ce but que vous les élevez, vos enfants, un jour, quitteront le domicile familial pour bâtir leur propre nid. Ce ne sera sans doute pas facile, ni pour eux ni pour vous, mais c'est une étape que vous saurez franchir puisqu'elle aura été préparée tout au long de leur éducation.

Leur apprendre l'indépendance

Le départ sera facilité si vous avez pris soin de leur apprendre, dès leur plus jeune âge, à être autonomes. Il vous suffit pour cela d'être disponible et à leur écoute, ils sauront ainsi qu'ils peuvent toujours compter sur vous. Ils partiront s'ils savent qu'ils peuvent revenir, qu'ils ont une place bien à eux près de vous.

Les aider sans les envahir

Même si vos enfants vivent loin de vous, vous restez une maman. Soyez présente sans être envahissante. Repasser leur linge est envisageable au début de leur autonomie, mais ce n'est pas à vous de faire leur ménage, vous le leur aurez appris !

Vous ne tolérerez donc pas que votre grand garçon qui ne vit plus chez vous depuis quelques années continue d'apporter ses kilos de linge chaque semaine. Cela fait partie de l'apprentissage de l'indépendance que de leur enseigner comment se prendre en charge. Ne pas les envahir signifie aussi qu'ils ne doivent pas vous envahir vous. Vous les aidez, mais vous n'êtes pas en permanence à leur disposition.

Ne vous fâchez jamais avec votre enfant et respectez ses choix. Encore une fois, les relations seront d'autant plus faciles que vous les aurez préparées en amont, progressivement.

TROUVER UN NOUVEL OBJECTIF DE VIE

Les enfants partis, la maison vous paraîtra certainement désespérément vide au début. Passés ces premiers moments, vous vous apercevrez vite que vous venez de gagner de grandes plages de liberté. Certes, vos tâches ménagères ne changeront pas, mais elles s'allégeront (moins de linge, moins de courses, etc.). Profitez-en pour revenir à votre époux que vous aviez peut-être un peu délaissé en raison de vos enfants, mais aussi pour vous occuper davantage de vous.

Le départ des enfants de la maison marque une étape et de nouvelles opportunités ; c'est un peu comme si une seconde vie s'annonçait. Saisissez cette occasion !

Et si vous repreniez une véritable vie sociale, sinon mondaine ?

Recevoir,
être reçue

Les repas ne se déclinent pas uniquement dans le foyer. Pour exercer vos talents de cuisinière, vous pouvez aussi inviter des parents, des amis ou des relations de travail. Les occasions ne manquent pas, seule la forme diffère. Ces réceptions, petites ou grandes, sont indispensables au maintien d'une vie sociale. Recevez avec générosité et soyez une invitée modèle lorsque, à votre tour, vous êtes reçue.

Les repas informels

Le repas est un moment convivial. Le temps que vous aurez passé en cuisine à élaborer un menu dénote l'affection que vous avez pour ceux que vous recevez à votre table. Un mijoté préparé par vos soins aura une tout autre valeur (et saveur!) qu'une conserve de supermarché.

LES REPAS QUOTIDIENS À LA MAISON

Un seul mot d'ordre : la diversité. Brisez la monotonie culinaire en proposant une variété de mets colorés, appétissants et nourrissants.

Votre époux aime le poulet? Déclinez-le sous toutes ses formes : rôti, à la broche, en sauce ou en papillote. Il n'aime pas les légumes? Rusez en inventant purées, potages, écrasées ou compotées. Vos menus doivent être équilibrés, sains et simples. Ne passez pas votre temps en cuisine durant le service, le repas est aussi le moment où les membres de la famille se retrouvent et peuvent raconter leur journée.

Afin d'agrémenter votre table, vous pouvez opter pour une jolie nappe ou des sets coordonnés que vous changerez régulièrement si vous le souhaitez.

Une coupe de fruits au centre de la table sera une parfaite décoration et un dessert tout trouvé.

LES REPAS IMPROMPTUS ENTRE AMIS

Des amis sont venus vous rendre visite et, l'heure avançant, vous leur proposez de rester avec vous pour partager un repas. Vous n'êtes pas tenue à la grande réception puisque l'invitation est impromptue. Pour autant, vous aurez soin d'avoir toujours chez vous de quoi répondre à ce type de situations. Profitez de l'été par exemple pour faire des conserves de légumes, de fruits, de plats cuisinés, ou des terrines. Apprenez à faire beaucoup avec peu.

Dresser la table, c'est déjà recevoir. Un molleton sous la nappe protégera la table et assurera du moelleux aux couverts et aux bras posés. Les assiettes des maîtres de maison se font face, les invités sont ensuite répartis à égale distance. Les couteaux sont à droite et les fourchettes à gauche, pointes sur la table. Préférez les serviettes en tissu à celles en papier, même joliment décorées. La serviette se place à droite de l'assiette.

Pensez à une carafe d'eau et une carafe de vin, ainsi qu'au sel, au poivre et au moutardier si besoin. Disposez d'une belle vaisselle, c'est déjà toute une décoration en soi, sans avoir besoin d'en rajouter.

Veillez à ce que personne ne manque de rien, ni de vin ni de pain, et servez entrée, plat, fromage, dessert et café. Mais n'insistez pas pour que vos invités se resservent d'un plat et ne surchargez pas leurs assiettes.

Les réceptions

Une réception ou un repas plus élaboré ne se présente évidemment pas de la même manière. Puisque vous avez du temps en amont, vous ne pouvez vous permettre un impair. Il vous faudra penser à tout : l'élaboration du menu, la décoration, le placement des invités et la conversation. Les réceptions sont pour vous l'occasion de démontrer votre savoir-faire et vos qualités de maîtresse de maison.

Le choix des invités

La réception peut être intime, avec seulement deux ou quatre invités ; elle peut être plus importante aussi. Attention à ne pas voir trop grand, ce qui conduirait à ne plus pouvoir discuter avec chacun des convives.

Vous n'inviterez pas des personnes qui ne s'apprécient pas ou qui sont en mauvais termes. Il ne vous appartient pas de jouer les réconciliatrices. Veillez également à inscrire sur votre liste des invités qui ont des intérêts communs (goût pour le travail, les loisirs ou la culture par exemple). Ne recevez pas en même temps à votre table des personnes dont les idées politiques sont diamétralement opposées ou qui sont de niveaux sociaux trop différents. Par ailleurs, si vous recevez plusieurs personnes, prenez garde à ne pas inviter un réseau d'amis et un seul couple qui pourrait se sentir isolé, sauf si c'est pour introduire les nouveaux venus dans votre cercle.

Le carton d'invitation

Pensez à lancer vos invitations quinze jours à trois semaines avant la réception. Vous pouvez le faire sur un carton, en mentionnant votre adresse et un moyen de vous joindre pour pouvoir confirmer sa venue ou décliner l'invitation. Ajoutez la mention « RSVP », voire « RSVP avant le… », qui signifie « répondez s'il vous plaît ».

C'est aussi l'occasion de préciser le type de soirée et si une tenue particulière est attendue.

En général, c'est vous qui recevrez : le carton peut donc être à votre nom uniquement, mais il est de plus en plus courant de mentionner aussi le nom de son époux sur l'invitation.

Madame et monsieur du Préhaut

Dîner

Samedi 8 mars de 19 heures à minuit

Smoking

RSVP

Rue de la Paix, Paris, 3ᵉ étage

Tél. : 01 00 00 00 00

duprehaut@duprehaut.com

LE PLAN DE TABLE

Pour éviter toute gêne et confusion, vous aurez pris soin de dresser un plan de table et de mentionner sur des cartons disposés devant les assiettes la place de chacun des convives. Il n'existe pas de règle absolue, il vous faudra juste faire preuve d'un peu de patience et de beaucoup de diplomatie.

Traditionnellement, on place un homme à côté d'une femme ; vous-même et votre mari vous tiendrez l'un en face de l'autre, les invités répartis autour de vous. Les conjoints ne sont jamais placés côte à côte, exception faite pour les jeunes mariés.

Les places dites « d'honneur » sont à votre droite et à votre gauche pour les invités, et pareillement, à droite et à gauche de votre époux pour les invitées. À noter que votre époux cédera sa place à un hôte de marque particulier (chef d'État, membre d'une famille royale ou archevêque). Un ecclésiastique prendra quant à lui place à votre droite.

Les places d'honneur sont définies par le rang social de la personne et non par son rang émotionnel à vos yeux. Si vous invitez le patron de votre époux, il sera placé à votre droite, mais si vous recevez en même temps un général, c'est lui qui sera assis à votre droite tandis que le patron sera à gauche.

L'ordre des préséances

Cardinal, duc

Maréchal

Archevêque

Évêque

Ministre

Général

L'ACCUEIL DES INVITÉS

Soyez chaleureuse dès l'accueil : « C'est un plaisir de vous recevoir », « Nous sommes heureux de vous revoir », « Soyez les bienvenus parmi nous »…

Présentez les invités entre eux, en mentionnant leur nom et/ou prénom ainsi qu'une caractéristique susceptible de faire engager la conversation : « Marie, je vous présente Jean-Pierre. Il revient d'un séjour de trois mois à Athènes. » Puis vous glisserez à Jean-Pierre : « Marie est helléniste », avant de vous éloigner sur un sourire pour leur permettre d'engager la conversation.

Ne laissez pas seul un invité et, comme vous ne pourrez vous occuper de tous à la fois, faites en sorte que vos convives puissent échanger entre eux. C'est à ce moment-là que la pertinence de votre liste se révélera. Pour être certaine de passer une belle soirée, tentez de réunir des invités qui ont au moins un point commun avec deux autres personnes de l'assistance.

Si un invité arrive avec un bouquet, demandez-lui la permission d'aller le mettre dans un vase pour éviter de le laisser faner toute la soirée sur la cheminée. À noter que vos invités, s'ils sont bien éduqués, n'arriveront pas avec des fleurs, mais qu'ils les feront livrer chez vous un peu avant le début de la soirée, le lendemain ou dans les jours qui suivent la réception afin de vous remercier, tout en vous épargnant de vous encombrer avec le choix d'un vase à un moment inopportun. Si votre invité arrive avec un cadeau consommable (bonbons, champagne…), servez-le le soir même.

Ne laissez pas vos amis manteau à la main ; prévoyez un vestiaire ou déposez les vêtements, bien à plat pour ne pas les froisser, sur votre lit.

Idéalement, vos amis viendront sans leurs enfants, sauf si vous avez demandé leur présence pour une raison particulière, et vous n'imposerez pas les vôtres. À l'arrivée des invités, les enfants viendront saluer, puis partiront poliment dans leur chambre afin de vous laisser profiter de la soirée et des conversations. S'ils sont trop petits et que vous craigniez d'être ennuyée, engagez une jeune fille pour s'occuper d'eux.

LE SERVICE

Pour un repas de cérémonie, faites-vous assister par un extra. Vous pouvez aussi demander de l'aide à votre femme de ménage pour l'occasion, si vous en avez une. Voici quelques bases à connaître.

Le plat est présenté à gauche de l'invité. De même, les assiettes sont changées par la gauche et remplacées immédiatement par une assiette propre (sauf pour l'assiette à soupe évidemment, et celle à fromage).

Le vin reste dans sa bouteille d'origine. Si c'est un grand cru, ayez soin de la débarrasser de sa vénérable poussière avant de la présenter. Votre mari versera quelques gouttes dans son verre et goûtera le vin avant de servir ses invités, ce, afin de vérifier qu'il n'a pas un goût de bouchon.

Si c'est un vin plus ancien et qu'il ait besoin d'être un peu « aéré », vous le servirez dans une carafe.

En fin de repas, nettoyez la table (miettes, salière, etc.) puis apportez le dessert et ses couverts.

Le café et les liqueurs sont servis sur une autre table, dans la mesure du possible.

Les repas d'affaires

Organiser un repas avec le patron de votre mari est une excellente occasion de l'aider à obtenir une promotion. Son patron aura ainsi le loisir de découvrir votre époux sous un autre jour, plus détendu et plus convivial. Attention à toujours garder la bonne mesure : ne sympathisez pas à outrance, ce n'est jamais bon dans le travail, cela risque même de créer des amitiés faussées et/ou encombrantes. La courtoisie reste toutefois de rigueur. L'intérêt étant que le patron de votre époux puisse voir à quel point votre vie est équilibrée, en harmonie et parfaitement dirigée. Une personne qui semble aussi sereine dans sa vie familiale ne peut être qu'excellente dans le travail, cela va sans dire.

Je vous rappelle que l'état de votre maison est le reflet de votre personnalité, aussi aurez-vous plus que jamais pris soin de prévoir une décoration élégante et un rangement parfait.

LA DÉCORATION DE TABLE

À cette occasion, la table se décore avec une nappe et de la belle vaisselle.

Vous pouvez ajouter des fleurs fraîches, à condition qu'elles ne gênent pas la vue entre les convives. Vous aurez toujours des hôtes qui ne savent que faire de leurs mains et qui joueront avec ce que vous aurez laissé à leur portée ; pensez-y avant de placer sur la table quoi que ce soit de bruyant, salissant ou encombrant. Pensez aussi que vous devrez apporter des plats : la table doit être suffisamment dégagée pour que chacun puisse se servir sans être gêné ou obligé de déranger un autre convive. Pensez donc aux tables avec des rallonges, qui s'adaptent aux invitations exceptionnelles sans être trop imposantes le reste du temps, quand vous êtes en comité restreint.

Un menu élaboré

Le menu est un langage muet. Il décrit à lui seul l'importance à vos yeux de cette réception, vos talents de cuisinière et votre créativité.

Renseignez-vous discrètement en amont sur les goûts de vos invités et surtout sur ce qu'ils n'apprécient pas ou ne peuvent ingérer en raison d'allergies par exemple. La cuisson également est importante. Si un rôti ou un bon gigot se sert relativement saignant, n'oubliez pas qu'il est des personnes qui ne supportent pas cela. Quel impair vous commettriez alors‧

en plaçant votre invité dans une situation embarrassante : être devant son assiette sans pouvoir y toucher ! De même, soyez prudente avec le poisson et
préférez présenter des filets, sans arêtes.

Restez simple là encore et évitez de trop solliciter
le traiteur ; démontrez au contraire vos talents de
cuisinière avec quelques légumes de saison et une
bonne pièce de viande. Éventuellement, vous pouvez
commander une pâtisserie chez un artisan réputé.

Pensez au vin, adapté à votre plat, préférez des petits
pains à l'unité et assurez-vous que vos invités ne
manquent jamais d'eau fraîche.

Préférer la table à la cuisine

Votre sens de l'organisation se révélera également
par votre présence à table. La maîtresse de maison
ne doit pas passer plus de temps devant ses four-
neaux qu'avec ses invités. D'abord parce que vous
recevez pour passer du temps avec vos hôtes, ensuite
parce que vous risquez de donner l'impression, en
étant toujours à la cuisine, que cette réception est
une contrainte.

Préparez tout à l'avance, les piles de vaisselle, les couteaux propres, les assiettes à dessert, les verres… L'entrée sera déjà prête, ainsi que l'assiette de fromages et le plateau à café.

Dès l'arrivée de vos convives, mettez votre four en route et servez l'apéritif. Vous ferez durer ce moment le temps nécessaire à la cuisson de votre viande. Pensez aussi à inclure la durée de dégustation de l'entrée. Vous devez à la fois prendre le temps, pour ne pas servir les plats trop rapidement l'un après l'autre, mais aussi ne pas laisser d'intermèdes languissants.

Tenir la conversation

La conversation de la tablée vous incombe également. Puisque vous avez pris soin d'inviter des personnes ayant de nombreux points communs, cela ne saurait être un problème ; toutefois, prenez garde qu'un invité impétueux ne monopolise la parole, fatiguant ainsi le reste de l'auditoire ou, au contraire, qu'un timide ne reste sur la réserve toute la soirée. Vous saurez user de diplomatie et de charme pour interrompre l'un ou solliciter l'autre : « Ce que vous dites est passionnant, Rémi *[le bavard]*. Qu'en pensez-vous, Camille *[la timide]* ? »

Il sera plus délicat d'éviter qu'une discussion s'envenime. Pour cela, déviez les discours politiques ou religieux en revenant à plus de légèreté. Ce n'est pas un débat que vous organisez, mais un repas convivial.

Enfin, prenez garde, même si vous êtes passionnée par un sujet, à ne pas échanger trop longtemps en aparté avec un seul invité, devant les oreilles lassées des autres convives qui ne comprennent pas forcément de quoi vous parlez.

Tenir la conversation est donc un art délicat et subtil. Enquérez-vous des goûts des uns et des autres, écoutez plus que vous ne parlerez ; n'oubliez pas que votre rôle est de mettre en valeur vos invités et de vous effacer discrètement à leur profit.

De même, ne coupez pas la parole à votre époux et si vous le surprenez, volubile, à édulcorer un récit ou à le romancer un peu, ne dites rien ; souriez, complice, et ne le contredisez jamais.

Si vous avez un différend, gardez-le pour vous et gérez-le quand vous serez seuls tous les deux. Rien n'est plus désagréable que d'assister à une dispute entre deux personnes, et de toute façon, ce n'est certainement pas le moment pour cela.

Les collations

Il est une autre manière de recevoir : avec des petits repas. Ces moments conservent la convivialité d'une réception sans s'embarrasser de trop de cérémoniel. Abusez-en sans crainte, ils sont un excellent moyen de faire de vous une hôtesse parfaite et accueillante dont on louera la compétence, la sympathie et les talents d'organisatrice.

APRÈS LE THÉÂTRE

Vous sortez le soir pour assister à une représentation théâtrale ou à un opéra ? Pourquoi ne pas convier vos amis à poursuivre la soirée à la maison ? Vous pouvez au préalable préparer des petits canapés, des sandwichs et quelques mignardises pour un en-cas chez vous. C'est un bon moyen de ne pas se quitter trop vite et de discuter tous ensemble du spectacle. Ce rendez-vous n'a pas besoin d'être vraiment organisé et peut être proposé quand chacun hésite à se quitter : « Et si nous terminions la soirée à la maison ? Vous avez un peu de temps ? » Les meilleures réceptions sont souvent celles que l'on n'attendait pas ; elles arrivent comme une surprise et réjouissent tout le monde. Si vos invités ne viennent pas ou si vous êtes trop fatiguée pour le leur proposer, il vous suffira de mettre vos préparations au congélateur ou de les grignoter le lendemain en famille.

L'APÉRITIF

Vous souhaitez faire connaissance avec des voisins, des collègues, mais vous n'êtes pas certaine de vous entendre suffisamment avec eux pour tenir la conversation durant plusieurs heures ? Proposez un apéritif, voire un apéritif dînatoire. Le rendez-vous est plus convivial, il peut s'abréger assez rapidement sans que vous ayez à soupirer : « Ils sont si ennuyeux et nous n'avons pas encore pris le plat principal ! » Bien entendu, faites les choses comme il faut : prévoyez plusieurs boissons, alcoolisées et non alcoolisées, et confectionnez vous-même quelques petites choses à grignoter. Des gressins enveloppés dans une tranche de jambon italien très fin, de la pâte feuilletée recouverte de fromage râpé et coupée en bâtonnets avant le passage au four… Ajoutez à cela des olives vertes et noires, des tomates cerises caramélisées avec des graines de sésame et présentez le tout élégamment à vos invités. Cela ne vous prendra guère de temps pour produire un bel effet.

L'apéritif, c'est aussi ce que l'on propose à ses voisins de vacances ou en plein été, lorsque l'on souhaite partager un agréable moment sans rester assis des heures sur une chaise.

LE THÉ OU LE CAFÉ

Nos voisins anglais sont les spécialistes du *tea time*, inspirez-vous-en !

Un thé rare présenté avec quelques scones, des shortbreads ou encore des muffins ou des cupcakes, et voilà un délicieux moment pour recevoir. Ce type de rendez-vous est plutôt réservé aux femmes, les hommes appréciant généralement plus le café, mais les gâteaux faits maison peuvent aussi les attirer. Cette réunion autour d'un thé est tout simplement exquise pour discuter de choses importantes ou non. Là encore, vous pouvez commander dans une pâtisserie, mais il ne vous faudra guère de temps pour confectionner vos madeleines, mendiants ou autres gourmandises maison.

Pensez à réserver quelques douceurs pour votre époux ! À son retour dans le foyer parfumé par les pâtisseries, il sera heureux et touché de voir que vous avez songé à lui en mettant de côté deux ou trois gâteaux.

À l'automne, une tarte aux pommes saupoudrée de cannelle ou une tarte Tatin magnifiquement caramélisée est aussi un régal olfactif. Pensez-y !

LE PETIT DÉJEUNER

Moins conventionnel peut-être, le petit déjeuner peut aussi être prétexte à une invitation. Vous prendrez soin alors de le présenter à la française, avec des croissants, des brioches ou autres viennoiseries, des confitures maison et du bon beurre fermier. Une invitation à petit déjeuner se fait fort bien l'été, avant les différentes activités de chacun, lorsque l'on peut se permettre de prendre le temps de se lever.

La présence des enfants ne sera alors pas gênante, à condition qu'ils aient une table à eux un peu à l'écart. Ils seront ravis de ce moment de fête avec les enfants de vos amis, entre chocolat chaud et jus d'orange. Pensez aussi à leur décoration de table ; ils verront ainsi l'occasion d'une dînette améliorée et grandeur nature.

UN BRUNCH

Entre le petit déjeuner et le repas, il y a le brunch. Là encore, c'est un rendez-vous idéal en été, mais pas uniquement. Le brunch se propose entre 11 heures et 15 heures, sous forme de buffet où chacun se sert selon son appétit. Vous préparerez alors des mets sucrés tels des pancakes, mais aussi des viennoiseries, des jus et des fruits coupés en morceaux. Sur votre table, on pourra également trouver des fromages frais et secs, un peu de charcuterie, du pain, du beurre et des œufs durs et/ou brouillés.

Le brunch est très convivial et propice à la conversation. Prévoyez suffisamment de nourriture, afin que vos invités osent se servir, mais ne surchargez pas la table inutilement. Lors de buffets comme celui-ci, préférez les petites assiettes aux grandes ; certains convives ont en effet la fâcheuse habitude de trop remplir la leur et de ne pas la terminer, ce qui est du gaspillage. Pensez également aux serviettes (celles en papier sont permises ici) et aux verres.

Bien sûr, vous n'omettrez ni l'eau, ni le thé, ni le café et les jus de fruits.

Un pique-nique

Le pique-nique est synonyme de vacances. Il est parfait au printemps ou en été ; il suffira de vous placer à l'ombre d'un arbre pour profiter de cet instant magique. Une grande nappe de coton vous protégera des petits insectes comme des fourmis indésirables et délimitera la table. Vous pouvez inviter plusieurs personnes à se joindre à vous, en vous répartissant sur des carrés de pelouse et en échangeant vos plats et recettes. C'est le moment d'apporter tartes et quiches, salades composées de légumes ou de féculents (pâtes, riz, lentilles). Prévoyez enfin des jeux pour l'après-midi ainsi que des sachets afin de jeter vos déchets dans la poubelle la plus proche et de ne rien laisser sur place. Un appareil photo immortalisera cet instant que vous pourrez partager ensuite avec vos amis.

UN COCKTAIL

Plus élégant que le simple apéritif, le cocktail se déroule en tenue habillée. Robe courte et décolletée pour les dames, costume sombre, chemise blanche et cravate de soie pour les messieurs. Vous pouvez inviter par cartons pour l'occasion ; les convives sont généralement attendus à 19 heures.

Prévoyez une bouteille de whisky pour huit à dix personnes, une bouteille de champagne pour quatre convives et un litre de jus de fruits pour quatre personnes également.

Quant aux canapés et sandwichs, vous pouvez en compter entre sept et dix par personne, quatre pour les mignardises. Pensez aussi à la glace afin de rafraîchir vos bouteilles. Et si vous envisagez de la musique (pour un cocktail dansant ou non), choisissez-la de bon goût, discrète pour ne pas gêner les conversations et engageante afin d'inviter les danseurs sur la piste.

Les présentations

Les présentations se font selon un certain protocole. Dès l'arrivée, vous débarrassez vos invités de leur manteau et de tout ce qui pourrait les encombrer. Accueillez-les et emmenez-les vers les autres convives pour les présenter, avant de rejoindre votre place ou l'entrée si de nouvelles personnes arrivent.

LES RÈGLES DE BASE

Il faut toujours présenter la personne qui mérite le plus de respect en dernier. Ainsi, on présente un homme à une femme, une jeune personne à une plus âgée et, de manière générale, celui qui a le moins d'importance sociale à celui qui en a le plus. C'est une question de hiérarchie sociale uniquement et non pas de valeurs humaines, ne vous formalisez donc pas.

Notez cependant une exception : si vous devez présenter une toute jeune fille à un homme âgé, c'est la jeune fille que vous présenterez en dernier.

Si vous annoncez un couple, vous commencerez par l'homme, puis vous passerez à son épouse : « Permettez-moi de vous présenter monsieur et madame Guillaume du Préhaut. »

Vous pouvez également annoncer juste les prénoms et noms : « Guillaume du Préhaut, Alain Desiles. »

À partir de la quarantaine environ, vous appellerez une dame « madame » et non « mademoiselle », même si elle est toujours célibataire.

Si vous êtes invitée et que personne ne vous présente, vous pouvez le faire vous-même, bien que ce soit un peu cavalier. Demandez plutôt à un homme de le faire pour vous : « Jacques, auriez-vous l'obligeance de me présenter à madame Dutilleul ? »

LES TITRES

Pensez à annoncer les titres et grades. À noter qu'un titre nobiliaire n'est jamais précédé de la mention

« monsieur », sauf s'il s'agit d'un duc. Si la personne que vous présentez est le chef de famille, vous annoncerez simplement : « Le comte Duchesne. » Si ce n'est pas le cas, vous ajouterez son prénom : « Le comte Martin Duchesne. » La femme est présentée par le nom de son époux, selon les mêmes règles ; ainsi, vous direz « la comtesse Duchesne » ou « la comtesse Martin Duchesne ».

En présence d'un militaire, vous l'appellerez « monsieur » jusqu'au grade de capitaine ; ensuite, vous préciserez uniquement son grade (« commandant », « colonel »). Votre époux, à moins d'être aussi gradé, dira « mon commandant », « mon colonel ».Quant aux hommes de loi, ils sont présentés par le titre de « maître ». Un professeur d'université est nommé « professeur », sans préciser « monsieur » : simplement « le professeur du Préhaut ». Un prêtre sera annoncé comme « monsieur l'abbé » ou « monsieur le curé ».

Le plus difficile consistera, lors des présentations, à ménager les susceptibilités de chacun par rapport à son titre ou sa position dans la hiérarchie sociale. Certaines personnes en effet tiennent beaucoup à s'affirmer et à être reconnues, quand d'autres, plus humbles, préfèrent la discrétion.

LES SALUTATIONS

On vient de vous présenter une personne, c'est donc à vous de tendre la main en premier. Vous pourrez répondre « je suis heureuse de faire votre connaissance », mais jamais « enchantée » ; vous n'êtes pas sous l'effet d'un charme, ce qui est la signification de l'enchantement, ne l'oubliez pas.

Un homme vous répondra « mes hommages madame » si c'est un gentleman. Il pourra aussi vous faire un baisemain, c'est un usage désuet mais délicat s'il est bien exécuté. Vous pouvez l'apprendre à vos jeunes garçons par exemple : il s'agit de prendre délicatement le bout des doigts de la dame et, en s'inclinant un peu, d'effleurer des lèvres le dos de sa main, à la naissance du poignet. Il est possible également de ne pas toucher du tout la main des lèvres.

En tout cas, le véritable baiser est totalement proscrit. Le baisemain se pratique toujours en intérieur et jamais dans un endroit public, *a fortiori* dans la rue.

Les relations
de bon voisinage

Vous ne recevrez pas chez vous uniquement vos amis ou des relations de travail, pensez également à inviter ceux qui sont les plus proches de vous, à savoir vos voisins. Peut-être avez-vous déjà entendu ce proverbe plein de bon sens qui déclame « mieux vaut être mal marié que mal avoisiné » ?

Pour éviter toute mésentente avec ceux que vous croisez tous les jours, quelques petites règles de base sont à connaître.

SE PRÉSENTER, ENTRETENIR LE LIEN

Lorsque vous emménagerez dans un appartement ou que vous arriverez dans un nouveau quartier, vos voisins viendront certainement vous saluer, voire vous inviter à partager un verre. Ne le refusez pas !

Si personne ne vient à vous, il vous appartiendra de prendre l'initiative en allant sonner chez vos voisins.

Assurez-vous de ne pas les déranger en prenant soin de noter, quelques jours avant, leurs horaires d'allées et venues, sans les espionner évidemment. Vous pourrez alors aller les voir avec quelques fruits ou fleurs de votre jardin, ou bien une pâtisserie que vous leur offrirez : « Bonjour, mon mari, mes enfants et moi venons de nous installer, nous feriez-vous le plaisir de venir partager un verre avec nous demain soir ? Nous invitons également d'autres voisins afin de faire plus ample connaissance. » Ce simple geste facilitera grandement vos rapports et, si je vous déconseille d'entretenir une trop grande amitié avec vos voisins, une réelle sympathie est très utile et bienvenue.

Lors de cet apéritif avec eux, vous pourrez vous présenter, éventuellement les rassurer sur la tranquillité de vos enfants, avertir que vous ne supportez pas le bruit ou préciser qu'ils peuvent compter sur vous en cas de besoin. Ne médisez évidemment pas sur un voisin avec un autre voisin. Inviter à nouveau ses voisins une fois l'an, aux beaux jours, permet d'entretenir le lien. Bien sûr, vous prendrez soin de les saluer chaque fois que vous les croiserez et de ne les gêner en aucune manière.

Se rendre de menus services

Le voisinage permet aussi de se rendre de menus services : récupérer les enfants à l'école, apporter le supplément de sucre, d'œufs ou de farine pour le gâteau en souffrance, tailler la haie ensemble, etc.

Il est évident que les services se rendent dans les deux sens et qu'il ne faut pas non plus en abuser. Si vous habitez près d'une personne âgée, proposez-lui de l'aider pour les courses ou de petits travaux. Durant les vacances et les absences, offrez de surveiller la maison, de relever le courrier ou d'arroser les plantes par exemple. Votre voisin vous proposera certainement la même chose en retour.

Faire la fête sans eux

Quand vous ne recevez pas vos voisins mais vos amis et que vous risquez d'être un peu bruyants (raisonnablement), prévenez-les en amont, directement si possible, sinon par un petit mot glissé dans leur boîte aux lettres, et le lendemain de fête, apportez-leur un cadeau (des fleurs ou du chocolat) afin de vous faire excuser du dérangement.

Comme vous aurez pris soin d'être sympathique avec vos voisins sans être trop amicale, vous ne serez pas tenue de les inviter à chaque occasion de fête à votre domicile et ils ne vous en voudront pas.

Si vous vous absentez quelques jours et que vos grands enfants restent seuls à la maison, allez vous assurer auprès de vos voisins, à votre retour, qu'ils n'ont pas été dérangés par le bruit.

Se faire des amis

En restant à la maison, vous pensez avoir moins de possibilités de vous faire des amis que si vous aviez un travail ? Détrompez-vous ! D'abord parce que, nous l'avons vu, il n'est pas très bon de créer des liens trop intimes au bureau ; ensuite, parce que vos possibilités de rencontres sont plus grandes encore : à l'école des enfants, dans les magasins alimentaires, lors de vos activités culturelles ou sportives, etc.

Osez simplement aller vers les autres, engagez la conversation et laissez faire le temps.

INTÉGRER UNE ASSOCIATION

Si vous êtes trop timide pour parler à des inconnus ou si vous ne croisez personne susceptible de vous intéresser dans les lieux publics, je vous conseille d'adhérer à une association ou de rejoindre un club. Il en existe forcément près de chez vous, en plus ou moins grand nombre.

Quelles sont vos passions ? Qu'avez-vous envie de faire de vos loisirs ? Même si le temps vous manque, vous saurez trouver un petit moment à vous. Ne culpabilisez pas, vos rencontres seront aussi béné-fiques à votre famille : elles vous donneront de la joie de vivre, ce qui rejaillira forcément sur vos proches.

Vous pouvez opter pour un club de lecture ou une bibliothèque, rejoindre les parents d'élèves des éta-blissements de vos enfants, adhérer à un club phi-latélique ou cinématographique, vous abonner à une salle de danse, suivre des cours de cuisine ou de tricot… Les possibilités sont infinies. Dans ces regroupements, vous irez au-devant de personnes qui ont les mêmes centres d'intérêt que vous et la parole s'engagera alors plus facilement.

LES RÉUNIONS FÉMININES

Certaines femmes se regroupent également entre elles pour des ventes diverses. Il s'agit d'inviter une amie, qui elle-même invite une amie, etc. Le cercle s'agrandit alors très vite et vous permet de faire de nouvelles connaissances. N'hésitez pas à recevoir chez vous d'autres femmes autour d'un thé ou d'un projet.

Vous souhaitez faire de la pâtisserie ? C'est plus amusant à plusieurs ! Conviez vos amies avec leurs ustensiles et passez l'après-midi ensemble, la main dans la pâte, en papotant.

Et si vous aimez les cartes ou les jeux de lettres par exemple, retrouvez-vous pour une soirée bridge ou Scrabble lorsque votre époux s'absente pour un moment avec ses propres amis.

Recevoir pour un séjour

Recevoir pour quelques heures n'est pas trop difficile ; accueillir chez soi pour plusieurs jours, ou même pour une simple nuit, demande un peu plus d'organisation. Dans votre vie d'épouse, vous rece-vrez forcément ainsi, un jour ou l'autre, de la famille ou des amis. C'est un moment agréable où se crée une plus grande intimité et où l'on peut davantage profiter les uns des autres.

PRÉPARER LA CHAMBRE D'AMIS

Si votre demeure s'y prête, créez une chambre d'amis. Cela permet de recevoir plus souvent et sans contraintes. Vous verrez, vous aurez de plus en plus de plaisir à inviter et à agrémenter cette pièce. Un lit de récupération peut fort bien faire l'affaire, mais ne mégotez pas sur le couchage, il ne s'agit pas que vos invités se réveillent avec un tour de reins! La chambre d'amis aura son propre linge régulier, que vous changerez pour chaque nouveau passage évidemment. Une paire de draps coordonnés à la pièce, deux serviettes et quatre gants de toilette suf-firont amplement. L'une de mes amies a brodé le nom de sa maison de campagne sur le linge, une idée charmante. Vous penserez également à ajouter dans la pièce une ou deux tables de nuit, des lampes de chevet, une boîte de mouchoirs et un valet ou, à défaut, une chaise, pour poser les vêtements. Si vous disposez d'une penderie, c'est encore mieux.

Si vous n'avez pas de chambre réservée à l'accueil de vos invités, vous pouvez, pour l'occasion, proposer celle d'un de vos enfants, ou la vôtre s'il s'agit de vos parents. En dernier lieu, un canapé-lit peut suffire, mais prenez soin dans ce cas d'avertir vos convives que vous les recevez avec plaisir, toutefois dans des conditions un peu spartiates.

L'important est que vos hôtes disposent d'une certaine intimité et ressentent votre plaisir de les accueillir. Parfumez les oreillers, déposez un petit cadeau sur la table de chevet (un livre par exemple, ou une spécialité régionale) et préparez la salle de bains en conséquence.

BIEN ACCUEILLIR

Ne cachez pas votre plaisir de recevoir vos amis. S'ils ont fait un long voyage, installez-les rapidement dans leur chambre et proposez-leur de se rafraîchir avant que vous ne serviez des boissons et éventuel-lement des petites choses à grignoter. S'ils n'ont pas de chambre à eux et qu'ils sont fatigués, retirez-vous afin qu'ils puissent se reposer un peu.

Prévoyez des activités que vous pouvez partager avec eux ou qu'ils pourront faire seuls. Ménagez aussi des moments de détente et de discussion.

Pensez au chauffage si vos amis sont frileux, même si vous-même ne l'êtes pas ; montrez-leur les commodités, enquérez-vous de leurs habitudes particulières. Si vous recevez des personnes âgées, n'oubliez pas qu'elles ont plus de mal à changer leurs habitudes ; par exemple, si elles aiment dîner vers 18 heures et vous vers 21 heures, essayez de trouver un compromis.

Si vos amis sont allergiques aux poils de vos animaux domestiques, nettoyez bien votre logement avant leur arrivée et tâchez de laisser chiens et chats dehors.

Être reçue

À votre tour, vous serez certainement reçue un jour. Même si c'est au sein de votre famille, sachez rester à votre place. Vous aurez soin d'arriver à une heure raisonnable et de l'indiquer à vos hôtes. Ne débarquez pas en pleine nuit ni avant le petit jour, sauf si vous y êtes vraiment contrainte par des horaires d'avion ou de train et, dans ce cas, assurez-vous que vous n'occasionnez ainsi aucune gêne.

À ROME, FAITES COMME LES ROMAINS

Vous êtes habituée à garder vos talons toute la journée mais votre hôtesse vit pieds nus avec sa famille dans sa maison ? Déchaussez-vous ! Proposez-le au moins ; en général, on vous dira de garder vos souliers car votre hôtesse aura aussi à cœur de vous satisfaire, mais n'imposez pas votre façon de vivre, adaptez-vous à celle de la famille qui vous reçoit.

N'utilisez pas quantité d'eau ; une douche par jour peut suffire quand vous êtes invitée, même si vous préférez un bain matin et soir.

Ne faites pas de commentaires déplacés sur l'habitation ; expliquer que vous vous êtes égarée en chemin parce que vos hôtes résident dans un endroit perdu n'est pas des plus courtois. Ne remettez pas en cause les talents de cuisinière ou de ménagère de la personne qui vous reçoit. La simple phrase « tu ne préfè-res pas que je le fasse moi-même ? » est très déplacée. Demandez plutôt : « Comment puis-je t'aider ? »

Il est minuit, vos hôtes ont l'air épuisés mais vous ne voulez pas dormir ? Libérez-les, ils veulent vous être agréables et vont attendre que vous demandiez à vous coucher. De même, si vous vous levez aux aurores, n'allez pas vous préparer un café à la cuisine ; prenez un livre et attendez le réveil de la maisonnée. Vous direz que vous avez bien dormi, même si le ressort du matelas vous a perforé l'estomac. Vous mangerez ce qui vous est servi en précisant que c'est délicieux et proposerez votre aide pour la préparation des repas.

Si vous cassez quelque chose, proposez immédiate-ment de le remplacer ou de le rembourser.

Amenez vos propres serviettes de toilette ; si votre hôtesse n'en a pas prévu dans votre chambre, cela vous épargnera de lui en demander.

Retenez une seule chose : comportez-vous chez les autres avec la même discrétion que vous attendez de ceux que vous invitez chez vous.

Rester discrète

Surtout si vous séjournez plusieurs nuits et plusieurs jours chez vos hôtes, restez discrète. La vie commune est parfois fatigante et, parce qu'elle perturbe les habitudes, elle peut aussi être gênante.

Absentez-vous un peu pour permettre à ceux qui vous reçoivent de retrouver leur maison ou pour les laisser seuls afin de discuter par exemple. Ne cherchez pas à être avec eux à tout prix et n'attendez pas d'eux qu'ils organisent entièrement votre emploi du temps. Vous ne devez pas être une charge mais un plaisir.

Si vos hôtes ont prévu pour vous un programme d'activités, participez avec joie, mais sachez aussi vous occuper seule, prendre le bus ou le taxi si besoin est, sans solliciter en permanence ceux qui vous reçoivent.

Ne leur donnez pas non plus l'impression que vous êtes chez eux comme dans un simple *bed and breakfast*, vous êtes venue avant tout pour les voir ; sinon, optez pour l'hôtel.

Si vous assistez à des moments intimes ou même simplement personnels, ne les divulguez pas. Il serait absolument cavalier d'aller relater un jour, au cours d'un repas, que votre hôtesse ronfle la nuit ou que son mari porte des pyjamas en pilou rose.

REMERCIER

Quand vous arrivez chez la personne qui vous a invitée, ne venez pas les mains vides : vous pouvez apporter des friandises, du vin, un gâteau ou un panier garni, selon le nombre de jours que vous resterez. Si vous avez oublié, ne le rappelez pas : « Je suis désolée, je suis venue sans cadeau ! » Restez discrète, allez au village le plus proche si vous êtes à la campagne et rapportez une tarte de chez le pâtissier par exemple. Si vraiment vous êtes dans un endroit désert ou que vous ne pouviez vous absenter, une fois de retour chez vous, faites livrer quelque chose, avec un mot de remerciement pour l'accueil et le séjour passé.

Vous ne devez pas être une charge financière pour ceux qui vous reçoivent : si vous êtes nombreux ou que vous restiez plusieurs jours, proposez de participer aux repas ; en cas de refus, offrez un restaurant à la fin de votre séjour.

Enfin, pensez toujours à remercier après. Sous huitaine, adressez un courrier ou un appel pour remercier à nouveau de l'accueil qui vous a été fait. Une lettre de remerciements est signe de bonne éducation, ne l'omettez pas et préférez-la à un appel téléphonique, pour sa solennité.

Les
célébrations
familiales

La vie d'une épouse est aussi ponctuée d'évé-nements particuliers, des moments plus importants que d'autres qu'il convient de célébrer comme il se doit.

Les naissances

La naissance de vos enfants, si vous avez décidé d'en avoir, sera évidemment un des moments forts de votre vie de femme. Vous étiez un couple et vous devenez une famille. Quand d'autres naissances s'ajoutent, c'est tout votre quotidien qui s'en trouve modifié et vous avez envie de partager ce bonheur.

L'ANNONCE

Une grossesse ne s'annonce généralement pas avant le troisième mois, et même un peu plus tard si vous parvenez à la cacher. Cela vous épargnera un grand nombre de commentaires que vous n'avez pas envie d'entendre. Coupez d'ailleurs court à toute conversation sur l'accouchement et autres difficultés d'élever des enfants. Dites simplement : « Ne m'en voulez pas, mais je préfère ne pas parler de cela. » Bien entendu, vous pourrez révéler à vos parents, vos beaux-parents et éventuellement vos proches que vous êtes enceinte, dès que cela aura été confirmé, en leur demandant de ne pas ébruiter la nouvelle.

Vous préparerez pour la maternité de jolis vêtements pour le bébé mais aussi pour vous, lorsque vous recevrez des visites. Certaines femmes préfèrent rester en robe de nuit ; prévoyez en ce cas-là une chemise de nuit élégante et pratique si vous allaitez votre enfant.

Votre époux vous offrira certainement, comme il est de coutume, un cadeau de naissance, tel un bijou.

Rappelez que vous ne souhaitez la visite à la maternité que des personnes qui vous sont le plus proches. Il ne sera pas impoli de demander d'attendre votre retour à la maison pour présenter l'enfant, surtout si la naissance a été particulièrement fatigante.

En quittant votre chambre à la maternité, vous aurez soin de laisser aux infirmières et aux sages-femmes des confiseries et/ou un bouquet de fleurs pour les remercier des soins qu'elles vous auront prodigués.

Il est de coutume d'annoncer la naissance du bébé. Vous préviendrez de vive voix vos proches et par carton écrit votre cercle plus élargi. Vous pouvez aussi faire une annonce dans un quotidien de façon très simple, même si cela n'est plus vraiment d'usage. Joignez une photo du nouveau-né si vous le souhaitez ; dans ce cas, soyez le plus sobre possible et ne l'affublez pas de vêtements trop voyants. Une photo en sépia ou noir et blanc de l'enfant endormi dans son berceau sera parfaite. Ce peut être aussi l'occasion de rappeler le nom de vos autres enfants. Ajoutez-y votre adresse, pour d'éventuelles félicitations, et la date de naissance. Vous pouvez préciser l'heure et le lieu pour les amateurs d'astrologie.

Guillaume et Marie-Bergamote du Préhaut
*sont heureux de vous annoncer la naissance d'**Alexandre**,*
le 28 août à 10 heures,
à leur domicile parisien.
Les aînés Charlotte, Eugénie et Antoine sont ravis.
La maman et le bébé se portent bien.

En cas d'adoption, les usages sont exactement les mêmes que pour la naissance d'un enfant. Vous pourrez donc tout autant l'annoncer, en indiquant sa date de naissance et, éventuellement, la date actuelle.

> *Guillaume et Marie-Bergamote du Préhaut*
>
> *sont heureux de vous annoncer l'arrivée dans leur foyer*
>
> *d'**Alexandre**,*
>
> *né le 28 août 2000 en Polynésie française.*
>
> *Les aînés Charlotte, Eugénie et Antoine sont ravis.*

LA CÉLÉBRATION DE LA NAISSANCE

Outre une cérémonie religieuse, le baptême offre la possibilité de réunir la proche famille pour célébrer la naissance du nourrisson. La présence du parrain, de la marraine et des grands-parents est suffisante. À noter que certaines communes offrent la possibilité d'un baptême civil depuis la Révolution française.

Le parrain et la marraine sont deux adultes qui s'engagent à assister l'enfant dans sa vie personnelle et éventuellement religieuse. Leur choix est donc de première importance. C'est aussi un honneur que l'on fait à un proche parent que l'on apprécie particulièrement. Ne soyez pas offusquée cependant si une personne que vous sollicitez pour tenir ce rôle décline poliment l'invitation, n'ayant pas envie ou ne se sentant pas capable d'assumer cette responsabilité.

Il est bon d'attendre votre complet rétablissement avant d'inviter du monde chez vous. Pour l'occasion, vous porterez une tenue sobre et élégante et offrirez à vos invités un menu amélioré. Le champagne est de rigueur au dessert et c'est traditionnellement le parrain qui offre les dragées, même si, de plus en plus, ce sont les parents qui s'en chargent. Ne l'imposez donc pas ; si vous voyez que le parrain ne le propose pas, faites-le tout simplement.

Le parrain et la marraine offriront une chaîne et une médaille en or pour le bébé.

En cas de baptême catholique, vous revêtirez votre enfant d'un long vêtement blanc amidonné, d'un bonnet blanc ou en dentelle et de chaussons assortis. Traditionnellement, c'est un beau vêtement de famille que l'on se transmet de génération en génération.

Vous pouvez également, en dehors de toute confession religieuse, célébrer la naissance de votre enfant par un petit cocktail. Dans ce cas, le nombre d'invités est élargi à la famille (frères et sœurs, oncles et tantes éventuellement) et vos amis proches. C'est le moment de présenter l'enfant dans une belle tenue blanche.

Les anniversaires

La naissance se célèbre chaque année, à l'occasion des anniversaires. Je vous conseille de vous procurer un agenda universel dans lequel vous ajouterez l'anniversaire de vos proches et amis, ainsi vous serez assurée de ne jamais oublier de le leur souhaiter. Notez-y également les dates importantes, comme les anniversaires de mariage par exemple.

DU CONJOINT

N'oubliez jamais l'anniversaire de votre époux. Pour l'occasion, faites-lui un plaisir particulier par de petites attentions comme porter les bijoux qu'il vous a offerts ou la robe qu'il préfère. Organisez-lui un repas avec ses proches, un dîner intime, juste entre lui et vous, ou bien encore un repas familial avec les enfants et éventuellement ses parents (sa maman sera ravie).

Ce peut être l'occasion d'une surprise. Ce qui est sûr, c'est que vous devez briser la routine en ne lui réservant pas chaque année la même chose (sauf si votre mari y tient, évidemment). Vous penserez également à lui offrir un petit cadeau : un livre, un stylo, un parfum, une cravate en soie ou toute autre chose qui lui ferait plaisir. Vous souvenez-vous des petites économies dont nous parlions ? C'est le moment idéal pour les utiliser, ainsi votre époux ne connaîtra pas le montant des dépenses que vous avez faites pour lui.

DES ENFANTS

Bien sûr, vous célébrerez aussi les anniversaires de vos enfants, avec leurs amis à l'occasion d'un goûter mais aussi avec leurs grands-parents et parrain, marraine s'ils ne résident pas trop loin.

Si vous avez des jumeaux, ne préparez pas un seul gâteau pour les deux. Il est bon qu'ils aient chacun le leur. Pour les enfants, surtout des jumeaux, il est important d'être individualisé, au moins à certains moments de leur vie.

Là encore, vous prévoirez un petit cadeau, en concertation avec votre époux, sans qu'il soit nécessaire d'entrer dans de trop grands frais.

Je vous mets en garde contre la fâcheuse tendance à offrir de l'argent plutôt qu'un cadeau. Le cadeau n'est pas un dû et il ne doit pas non plus être un devoir ; c'est une attention que l'on porte à une autre personne. Réfléchissez à ce qui fera plaisir à votre enfant, courez le risque de le surprendre ou de le décevoir, saisissez surtout la chance de le toucher par l'attention et l'écoute que vous lui donnerez.

DE MARIAGE

Célébrer chaque année le jour de ses noces est un rituel important. En général, les anniversaires de mariage se fêtent entre époux. Vous pouvez célébrer les années importantes (dix ans, vingt ans, vingt-cinq ans) avec votre famille proche, voire avec un entourage plus élargi pour les cinquante ans par exemple. C'est une occasion de renouveler vos vœux, même dans l'intimité, et de vous souvenir ensemble du moment où vous avez décidé d'unir vos vies.

Dans les foyers catholiques, on peut aussi célébrer une messe.

Les noces d'or (cinquante ans de mariage) sont généralement annoncées dans la presse et font l'objet d'une fête un peu plus importante.

Noël

Le calendrier offre diverses occasions de se retrouver pour des fêtes de famille. Noël est l'une d'elles. Peut-être avez-vous le souvenir de Noëls magiques dans votre enfance ou, au contraire, vous auriez adoré cela! Dans tous les cas, vous pouvez à votre tour organiser à cette occasion une fête particulièrement chaleureuse en plein cœur de l'hiver.

RECEVOIR

Jeunes mariés, vous serez certainement invités chez les parents de l'un ou de l'autre puis, leur âge avançant, vos enfants grandissant, c'est certainement vous qui reprendrez le flambeau pour préparer la fête.

Le repas traditionnel comprend une dinde, un chapon ou une oie, du foie gras, des marrons, une bûche, du champagne. Mais rien ne vous empêche d'être moins conventionnelle. Noël est un jour où l'on sort de l'ordinaire pour offrir le meilleur à ceux que l'on aime. Choisissez des produits de qualité, des aliments du terroir. Si vous le pouvez, réalisez vous-même votre foie gras, ce n'est pas très difficile, ainsi que votre bûche. Mettez les enfants à contribution pour ramasser des marrons que vous ferez sauter sur une poêle trouée dans votre cheminée. Préparez du vin chaud avec des bâtons de cannelle et des grains de raisin sec ou des *cranberries* pour réchauffer vos invités. Préparez aussi une brioche pour le matin de Noël.

Ne laissez pas partir vos invités tard dans la nuit si la route est mauvaise ou si le vin a été apprécié. Prévoyez des couchages pour que la fête se déroule dans la tranquillité. Montrez-vous plus que jamais une hôtesse accueillante et organisée.

Pour vos enfants, il est important que vous profitiez de cette occasion afin d'instaurer des rituels dont ils se souviendront une fois adultes. Cela peut être la confection d'une brioche particulière, de truffes ou de gaufres sèches. Vous pouvez aussi déposer un verre de lait près de la cheminée pour celui qui apporte les cadeaux dans la nuit. Pensez à une musique spéciale, un disque que vous écouterez chaque année ou une chanson que vous chanterez tous ensemble à un moment donné. L'idée est d'inscrire une action, par sa pérennité, dans les souvenirs. C'est en cela que les fêtes familiales revêtent un caractère typique et se gravent dans la mémoire de chacun pour y rester à jamais.

LES CADEAUX

Pas de Noël sans cadeaux, même petits. Vous aurez pris soin de vous y prendre en avance pour éviter les achats de dernière minute dans les magasins surpeuplés. C'est aussi un moyen d'étaler vos dépenses si vous avez beaucoup de personnes à gâter. Personnalisez vos cadeaux, ne faites pas les mêmes emballages pour tout le monde et prévoyez de petites étiquettes avec les noms du destinataire ainsi que de celui qui offre. Variez la taille des boîtes, qu'il y en ait des petites, des moyennes et des plus grandes, avec pour chacune un papier différent, un ruban ou non. Et si vous offrez quelque chose qui nécessite des piles, prévoyez-les dès l'achat ! Il serait assez dommage en effet que l'enfant (ou l'adulte) découvre son cadeau sans pouvoir en profiter avant plusieurs jours, le temps que les boutiques ouvrent à nouveau.

Les cadeaux seront bien cachés avant le jour de la fête (surtout si vous avez de jeunes enfants ou des animaux qui risquent d'abîmer les paquets), ou ils peuvent être déposés au pied du sapin dès l'achat. Bien entendu, la consigne sera stricte : ne pas ouvrir les cadeaux avant le moment prévu (le 24 décembre à minuit ou le 25 au lever). Le sapin s'ornera ainsi naturellement et progressivement au rythme des achats, en plus de sa propre décoration.

Apprenez à vos enfants à faire des cadeaux eux aussi. Il n'est pas nécessaire de dépenser de l'argent : un beau dessin effectué avec application, un poème ou un bouquet peut très bien faire l'affaire. L'essentiel est de leur apprendre à s'occuper des autres et à s'intéresser à des goûts différents des leurs. Il est sage aussi de leur enseigner le bonheur de faire plaisir et de passer du temps à songer à une personne qu'ils aiment particulièrement.

La décoration

La décoration peut commencer dès le début de décembre, durant la période de l'avent. Vous pourrez conserver ce décor jusqu'au 1er janvier pour les fêtes du réveillon, mais pas plus tard. La nouvelle année marque aussi le renouveau. Certaines familles toutefois choisissent de garder la décoration jusqu'à l'Épiphanie, qui se célèbre le 6 janvier.

Les couleurs de Noël sont le vert et le rouge, et le sapin est roi. Vous n'êtes pas obligée d'en couper un, il est même plutôt conseillé d'en avoir un avec ses racines, vous pourrez ainsi le replanter et il ne perdra pas toutes ses aiguilles. Vous pouvez aussi choisir un sapin artificiel, à condition qu'il soit bien réalisé. L'achat vous paraîtra coûteux de prime abord, mais il sera vite rentabilisé, sans compter que vous ne traumatiserez pas vos enfants par la coupe d'un arbre, surtout s'ils ont lu le conte d'Andersen où le jeune sapin meurt, désespéré, dans le feu de la nouvelle année, après avoir été relégué au grenier sitôt les fêtes terminées.

Ne surchargez pas l'arbre de décorations, soyez vigilante s'il y a de jeunes enfants : aucun ne doit pouvoir avaler un objet quelconque. Soyez sobre là encore. Achetez vos décorations au fur et à mesure, chaque année, et restez dans une ligne de couleurs pour éviter de vous retrouver avec un sapin bariolé.

C'est là encore l'occasion de marquer un rituel, en remettant pour Noël les mêmes décorations voire en achetant un sujet particulier chaque année. Par exemple, si vous aimez les anges, vous vous en offrirez un beau tous les ans pour le sapin. Chaque ange sera marqué d'un moment de votre histoire personnelle, que vous pourrez ensuite raconter à vos enfants : « J'ai acheté cet ange-là l'année où tu es né ; celui-ci, c'était notre tout premier ange et celui-là, il porte de longs cheveux roux parce que nous l'avons acheté quand ta petite sœur est née », etc.

La table pourra être ornée d'une couronne confectionnée avec des branches de sapin, quelques pommes de pin, des bâtons de cannelle et des nœuds rouges.

Je vous conseille de la réaliser avec vos enfants après avoir consciencieusement récupéré le matériel nécessaire au détour de promenades en forêt. Vous brûlerez la couronne dans la cheminée en retirant les décorations, comme un symbole de l'année qui se termine et du renouveau qui s'amorce.

Vous sortirez votre plus belle vaisselle et une jolie nappe blanche. Si vous le pouvez, achetez du linge réservé spécialement à cet événement, ou au moins quelques décorations de table particulières.

Pour l'occasion, pourquoi ne pas mettre toute votre maison sous le signe de la fête, en changeant les rideaux juste pour la période ou en ajoutant des lumières ou autres décorations dans votre jardin ? Quelques coussins aux couleurs de Noël embelliront magnifiquement votre canapé et des bougies sur la cheminée seront du plus bel effet. Vous n'avez pas besoin de faire grands frais. Il suffit de peu et, encore une fois, vous pouvez échelonner vos achats chaque année.

Une couronne sur la porte d'entrée et une boule de gui pour s'embrasser dessous compléteront agréablement l'ensemble sans faute de goût.

Pour les amateurs de crèches ou de santons, voilà aussi une magnifique occasion de compléter votre collection ; certains bricoleurs n'hésitent pas à créer eux-mêmes tout un village, ce qui fait l'admiration de tous et notamment des plus jeunes.

Les enterrements, les deuils

Parfois malheureusement, votre famille se retrouvera à l'occasion de circonstances plus douloureuses, tels des enterrements.

PRÉSENTER SES CONDOLÉANCES

Il n'est pas de mots qui consolent, c'est pourquoi il est inutile, dans une lettre de condoléances, de présumer la douleur de la personne touchée ou de lui servir des phrases dénuées de tout intérêt sur le fait que la mort fait partie de la vie, que le temps effacera les blessures, etc. Cela, elle le sait.

Au besoin, glissez dans votre lettre de condoléances un poème, il exprimera mieux que vous ne saurez le dire ce que vous ressentez.

Madame et monsieur Guillaume du Préhaut et leurs enfants adressent à madame Lecarmel leurs plus sincères condoléances et l'expression de leur vive sympathie.

Ma chère Domitille,

Guillaume, les enfants et moi apprenons avec une vive émotion la triste nouvelle.

Nous t'adressons nos sincères condoléances.

Sois assurée de notre plus tendre amitié.

Marie-Bergamote du Préhaut

Une lettre de condoléances s'envoie dans les plus brefs délais. À noter que l'on n'appelle jamais pour présenter ses condoléances, il faut écrire.

Il est possible de se rendre à la veillée mortuaire, seulement si la famille l'autorise.

Ce dont une personne endeuillée a besoin au plus fort de son chagrin, c'est de présence et de sympathie. Soyez donc sobre et présente. Laissez-la parler du défunt, de ce qu'elle ressent, et ne dites rien si vous craignez d'être maladroite. Une étreinte, un sourire, une caresse sur la joue ou la main sont infiniment plus éloquents dans ces circonstances.

Le jour de l'enterrement, vêtez-vous de noir, serrez les mains des personnes que vous connaissez, saluez les autres d'un mouvement discret de la tête. Nous ne sommes plus au temps des pleureuses, tentez donc, dans la mesure du possible, de contenir votre peine pour éviter de parler entre deux sanglots ; *a contrario*, n'affichez pas non plus une mine trop réjouie si vous êtes là en simple accompagnatrice.

ANNONCER UN DÉCÈS

Si le deuil est plus proche de vous, il vous appartiendra de communiquer par la presse le décès et les funérailles. Vous pouvez aussi charger de cela le service des pompes funèbres.

L'annonce se veut sobre : elle indique la date, le lieu et l'heure de la cérémonie religieuse ou de l'enterrement. Vous préciserez aussi si vous ne voulez pas de fleurs. C'est la famille qui annonce le décès. On cite les proches, sans nommer tout le monde, dans l'ordre suivant : le conjoint, les enfants et leurs conjoints, les petits-enfants et leurs conjoints, les parents et beaux-parents, le ou la fiancé(e), les ascendants du défunt et du conjoint, la fratrie et conjoints, les neveux et nièces, les oncles et tantes, les cousins germains.

Monsieur et madame Guillaume du Préhaut et leurs enfants,

Monsieur et madame Laurent Duval,

Mademoiselle Pauline Lafitte,

Ont la douleur de vous faire part du décès de madame Antoine Lafitte, née Aurore Dutilleul, leur belle-mère, mère et grand-mère, dans sa quatre-vingt-huitième année.

La cérémonie religieuse aura lieu le 18 mars à 15 heures en l'église Notre-Dame-de-Rimilly et sera suivie de l'inhumation dans le caveau de famille.

Cet avis tient lieu de faire-part.

Ni fleurs ni couronnes.

À noter que les personnes divorcées perdent leur lien civil avec le défunt et ne sont pas mentionnées dans le faire-part de décès. Certaines familles font toutefois désormais abstraction de cet usage.

Avant de refuser fleurs et couronnes, pensez que c'est une forme de reconnaissance qu'affectionnent beaucoup de personnes (notamment les collègues de travail) pour se joindre au deuil. Cela leur permet d'afficher leur douleur et la sympathie qu'ils éprouvaient pour le défunt.

Si vous ne tenez pas à subir le défilé des condoléances, vous pouvez laisser un registre dans le fond de l'église, sur lequel les personnes présentes pourront ajouter un mot ou glisser leur carte de visite afin que vous les remerciiez ensuite.

Imprévus

On se marie pour le meilleur, mais il arrive que l'on ait aussi droit au pire. Cela fait partie des imprévus auxquels il faut faire face afin de trouver la bonne solution pour s'en sortir.

Une dépression

Même si vous aimez votre existence, il peut arriver que parfois, vous vous sentiez mal. Peut-être parce que vous ne trouvez pas suffisamment valorisante votre place dans la société, parce que vous ne ressentez pas une exaltation suffisante dans votre vie, ou encore parce que les enfants quittent le foyer ? Il existe de nombreux facteurs susceptibles d'engendrer ce que l'on appelle la dépression, qui est une véritable maladie et pas une simple déprime passagère ; c'est la raison pour laquelle vous devez y faire face dès le début et l'empêcher de s'installer au point de devenir chronique.

L'ACCEPTER

Vous êtes fatiguée, sans entrain, sans envies, et vous lever le matin devient une corvée chaque jour plus pénible. Vous perdez le sommeil et l'appétit, vous avez l'impression d'être au ralenti, vous broyez du noir chaque jour, presque toute la journée, et cela depuis plus de deux semaines. Plus que déprimée, vous êtes certainement dépressive…

Si la tristesse vous envahit, qu'elle vous est doulou-
reuse et perturbe votre quotidien, si vous avez perdu
tout attrait pour ce que vous aimiez auparavant, au
plan des loisirs, du travail ou autres, vous devez en parler à un médecin. La dépression est une maladie, elle
peut donc se soigner. Commencez par l'accepter.

DEMANDER DE L'AIDE

Vos amies sont là pour parler avec vous et vous
aider, mais rien ne remplacera l'aide d'un médecin,
psychologue, hyprothérapeute ou autres. Notez que
les médicaments ne sont pas toujours une solution.

Les causes de la dépression sont souvent multiples et
vous n'avez pas à en avoir honte en vous disant que
vous n'arrivez pas à assumer vos tâches de femme
au foyer alors que d'autres y parviennent. Qui vous
dit que les épouses que vous croisez chaque jour n'en
souffrent pas elles aussi, ou qu'elles n'en ont pas souf-
fert un jour ? Statistiquement, un Français sur cinq
est susceptible de vivre un tel épisode au cours de
sa vie. Raison de plus pour dédramatiser et ne pas
déprimer davantage.

S'en sortir

Une fois le problème accepté, avec l'aide de votre médecin, vous irez chaque jour vers la guérison. Efforcez-vous de pratiquer certaines activités même si cela vous ennuie au début, mais ne faites pas que des choses désagréables évidemment !

Arrangez-vous avec une autre maman de votre entourage pour qu'elle prenne vos enfants de temps en temps. Un jour, c'est peut-être elle qui ira mal et vous pourrez l'aider à votre tour.

Pensez aussi au sport, à la natation, au yoga. Assistez à des ateliers de cuisine, faites des marches en forêt, lisez des livres, regardez des séries télévisées amusantes et prenez le temps. Peu à peu, vous retrouverez vos repères et vous sortirez de cette ornière pour démarrer quelque chose de nouveau. Retrouvez la confiance et la joie de vivre. Un voyage pourrait peut-être vous faire du bien ?

Un mariage infécond

La majorité des couples prévoit de fonder une famille avec deux ou trois enfants en moyenne. Il peut arriver cependant que l'on décide à deux de ne pas avoir de descendance, ou que seul l'un des deux n'en souhaite pas, et c'est souvent l'homme dans ce cas (c'est une généralité fondée sur les statistiques).

J'espère que vous avez évoqué la question avant les noces afin de vous marier, ou non, en connaissance de cause. Cela fait en effet partie des points majeurs à aborder avant de lier sa vie à celle d'un autre car, même si vous n'y pensez pas au début de votre mariage, la question se posera un jour ou l'autre et plus tôt vous l'aurez abordée, mieux vous saurez la gérer.

Certaines femmes acceptent les épousailles malgré tout, en espérant que leur amoureux changera d'avis au fil des années. Cela arrive. Mais pas toujours, il faut vous tenir prête. Vous ne pouvez pas imposer à un homme d'avoir des enfants s'il n'en veut pas, mais vous n'êtes pas non plus obligée de vous sacrifier si être mère compte beaucoup pour vous.

Parfois, c'est le corps qui est en cause et votre couple demeure stérile, soit parce que vous ne pouvez pas porter d'enfants, soit parce que votre époux ne peut pas vous en donner. La situation est alors très difficile : faut-il sacrifier son amour ou son désir de procréation ? Personne ne saurait vous donner de conseils en la matière et vous êtes bien la seule à pouvoir décider ce qu'il sera bon de faire ou pas.

Personne ne pourrait non plus vous en vouloir de choisir de quitter votre mari. Vous devez tenter d'anticiper les choses. Aujourd'hui, peut-être parvenez-vous à accepter le fait et à vous résoudre à ne pas être mère, mais dans dix ans, vingt ans, que penserez-vous ?

UN ENFANT MALGRÉ TOUT

Toutefois, il reste possible d'être parent sans enfanter, par l'adoption. Certes, c'est un long chemin qui n'est pas aisé, mais il n'est pas impraticable. D'ailleurs, de nombreux couples le suivent, alors pourquoi pas vous ? La parentalité se réalise aussi par les liens du cœur et pas uniquement ceux du sang…

Vous prendrez soin de discuter longuement du sujet et d'être certaine que votre couple est bien solide avant de vous lancer dans l'aventure. Prenez garde à ne pas imposer à votre époux cette décision s'il ne la partage pas ni à tenter de l'influencer. Cette remarque est également valable pour vous : ne vous forcez pas. La démarche est trop importante et elle concerne aussi un enfant, ne l'oubliez pas.

Pensez que, même s'il ne porte pas l'enfant, votre mari peut souffrir de cette stérilité et ne pas être prêt à adopter. Vous devez bien prendre le temps de discuter de cela et de vous préparer également, en réfléchissant à toutes les possibilités, aux difficultés, aux contraintes, et pas uniquement aux joies de la maternité.

Lorsque vous serez parents adoptifs d'un enfant ou d'un bébé, vous ne pourrez pas le rendre, ce n'est pas un jouet. Sachez que vous aurez aussi à faire face au choix de l'élever en lui révélant ou non qu'il n'est pas de votre sang. Autant de questions difficiles qu'il faudra aborder avant de vous lancer dans l'aventure.

Même si tout vient en son temps et que vos avis évolueront, n'oubliez pas que les années passent très vite.

FAIRE DU COUPLE UNE FAMILLE

Si vous décidez de rester sans enfants toute la vie et que ce choix émane de vous deux, pleinement et avec assurance, alors faites de votre couple une famille. Les souvenirs communs, les célébrations de fêtes et de rituels cimenteront votre relation. Une famille commence à deux. Rapprochez-vous toutefois de vos frères et sœurs, cousins, neveux, tantes, etc.

Ne culpabilisez pas de ne pas être mère, c'est aussi un choix de vie et il est tout autant légitime qu'un autre. Ne soyez pas mal à l'aise en présence de parents et, au contraire, dénouez tout sentiment de malaise chez les autres s'il y en a.

Puisque vous aurez pris cette décision en commun avec votre époux, n'y revenez pas et ne faites évidemment pas de reproches à l'autre.

Un divorce

Si vous décidez de ne pas rester ensemble pour diverses raisons, par exemple le fait de ne pas avoir d'enfants ou une trop grande dissension entre vous, la loi vous permet de rompre votre engagement.

ÊTRE DIGNE

On peut tenter de tout prévoir, mais il n'y a qu'en vivant ensemble que l'on se rend compte de la véritable personnalité de l'autre et que la nôtre se révèle.

Ce pourra être votre mari qui demandera le divorce, peut-être aura-t-il rencontré une autre femme et, avec le temps, préférera-t-il s'éloigner de vous. C'est une épreuve. Et comme toute épreuve, elle se surmonte avec le temps. Sachez rester digne, ne racontez pas vos malheurs autour de vous, ne critiquez pas votre mari. Si l'un des deux s'en va, c'est aussi parce que l'autre, parfois, n'a pas su le retenir. Les torts viennent rarement d'un seul côté. Et ce divorce sera peut-être une chance, après tout… Tentez toutefois de le convaincre de rester si vous l'aimez toujours ; insistez, mais ne suppliez pas.

Si c'est vous qui partez, ne laissez pas une lettre assassine en lui attribuant tous les torts. En mémoire de ce que vous avez partagé, encore une fois : restez digne.

AGIR AVEC INTELLIGENCE

Ne serait-ce que pour vos enfants, agissez avec intelligence. Ne cherchez pas à ruiner votre époux par une prestation compensatoire et une pension alimentaire faramineuses ; faites néanmoins respecter vos droits. Si vous êtes restée des années à la maison pour vous occuper de lui et de vos enfants, vous avez droit à quelque chose afin de ne pas vous retrouver démunie du jour au lendemain.

Renseignez-vous donc et parlez avec votre époux. Ne laissez pas des avocats débattre de votre vie commune sans essayer de vous entendre à l'amiable au préalable. Soyez respectueuse de ce que vous avez vécu.

RESTER AMIS

Le temps aidant, si vous le pouvez et quand cela ne vous fera plus souffrir, essayez de devenir amis. Pour vos enfants, là encore, ce sera tellement plus agréable et plus simple de ne pas être tiraillés entre leurs parents ! Permettez-leur de vous inviter avec vos nouveaux conjoints respectifs sans que cela tourne au pugilat. Lors de leur mariage par exemple, cela aura de l'importance. La séparation est votre choix, pas le leur. Même si vous ne devez pas rester mariés uniquement pour eux, faites en sorte, quand vous serez séparés, qu'ils en pâtissent le moins possible.

Un veuvage

Un jour, l'un de vous deux disparaîtra. Statistiquement, votre époux risque de décéder avant vous, surtout s'il est plus âgé. Vous pouvez aussi le perdre brutalement, par accident ou par maladie.

Comment alors continuer sans lui ?

GARDER LE MEILLEUR

Aussi grande que soit l'épreuve de la perte de la personne que l'on aime, il importe de garder le souvenir des moments de bonheur que vous avez vécus ensemble. Vous resterez pour toujours liée à cet homme par votre histoire, parce que vous avez porté son nom ou ses enfants, parce que vous avez partagé sa vie. Ne ressassez pas, ne soyez pas amère, ne soyez pas non plus dans une admiration démesurée. Conservez intacte sa mémoire, avec respect et bienveillance.

REFAIRE SA VIE

Vous enfermer dans le chagrin ne peut durer qu'un temps, celui du deuil ; ensuite, vous devrez vous redresser et poursuivre votre chemin avec tout ce que cet homme vous aura appris. Ce n'est pas faillir à sa mémoire que de vous remarier, à condition de respecter un délai acceptable. Surtout si vous êtes jeune, vous devriez songer à refaire votre vie. Ne cherchez pas dans votre prochain époux une copie de l'ancien, ce serait un fardeau à lui faire porter. Même s'il est probable que vous soyez attirée par le même type d'hommes, conservez à l'esprit que ce sont deux personnes très différentes. Donnez à votre nouveau mari une chance, non pas de vous faire oublier l'ancien, mais d'être à sa hauteur. Vous serez assez sage pour ne pas user de comparatifs, surtout en sa présence, et ne pas évoquer trop souvent votre premier mariage.

Conclusion

Rester à la maison pour s'occuper du bien-être de sa famille est une tâche parfois difficile.

Votre dévouement ne sera jamais vain : vous bâtissez l'équilibre et l'harmonie des êtres qui vous sont le plus chers. Vos enfants deviendront des adultes accomplis grâce aux soins que vous leur prodiguerez et vous pouvez en être fière et heureuse. L'attention quotidienne que vous leur portez les solidifie plus sûrement que vous ne pouvez même l'imaginer.

Agissez avec humilité et joie, avec conviction, et félicitez-vous de ce choix que certaines ne comprendront pas, mais qui est tout à votre honneur puisque vous donnez le meilleur de vous pour le réaliser. Ce choix en vaut bien un autre, alors si c'est votre route, pourquoi ne l'accepteriez-vous pas ?

Vous aurez parfois l'impression d'être dans l'ombre et vous le serez, mais le bonheur se bâtit sous la ramure des grands arbres et nul n'est besoin de gloire ou de lumière pour se sentir accomplie au soir de sa vie.

Retrouvez toutes nos créations et nos points de vente sur
www.lescakesdebertrand.com

Dépôt légal : mai 2012
23-21-0530-01-8
ISBN 978-2-01-230530-4

Imprimé en République Populaire de Chine
par Toppan Leefung Products